Telemann-Werkverzeichnis (TWV)
Instrumentalwerke · Band 1

GEORG PHILIPP TELEMANN

Musikalische Werke

Herausgegeben
im Auftrag der Gesellschaft für Musikforschung

Supplement

BÄRENREITER KASSEL · BASEL · LONDON
1984

GEORG PHILIPP TELEMANN

Thematisch-Systematisches Verzeichnis seiner Werke

Telemann-Werkverzeichnis (TWV)
Instrumentalwerke · Band 1

Herausgegeben von
Martin Ruhnke

BÄRENREITER KASSEL · BASEL · LONDON
1984

Herausgegeben und gedruckt mit Unterstützung der Konferenz der Akademien der Wissenschaften in der Bundesrepublik Deutschland, vertreten durch die Akademie der Wissenschaften und der Literatur Mainz, aus Mitteln des Bundesministeriums für Forschung und Technologie, Bonn, und des Ministeriums für Wissenschaft und Kunst des Landes Baden-Württemberg.

ISBN 3-7618-0655-8

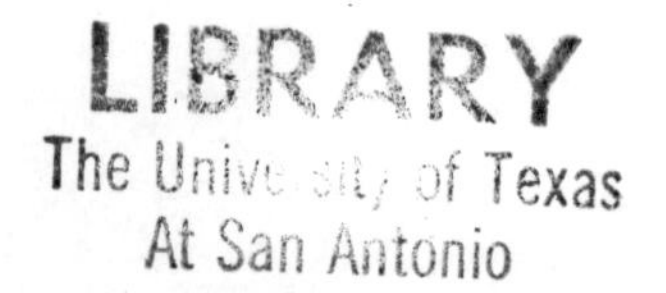

Inhalt

Vorwort

Die Vorgeschichte dieses Werkverzeichnisses ist mit der Geschichte der im Bärenreiter-Verlag erscheinenden Ausgabe der musikalischen Werke Telemanns eng verknüpft. Wenn die ältere Musikforschung es als ihre Aufgabe angesehen hat, das Schaffen derjenigen Komponisten, die in ihrer Zeit und für ihre Zeit Bedeutendes geleistet haben, in wissenschaftlichen Gesamtausgaben zu erschließen und zu bewahren, so hätte bis 1939 neben Schein, Scheidt, Purcell, Rameau, Böhm, Buxtehude, Loewe und vielen anderen zweifellos auch Telemann zu diesem Kreis gehören müssen. Unbestritten sind seine Verdienste um die Weiterentwicklung des Musiklebens im 18. Jahrhundert. Er ist nicht nur seinen vielfältigen Amtspflichten als Hamburger Kantor und Musikdirektor nachgekommen, sondern hat darüber hinaus das öffentliche Konzertwesen begründet, das Laienmusizieren durch seine zahllosen Druckpublikationen, die er zum größten Teil selbst verlegte, nachhaltig gefördert und sich als Kirchenmusiker auch der Oper verschrieben. Um sich wegen seiner intensiven Nebenbeschäftigungen keinen Vorwürfen auszusetzen, hat er seine Amtspflichten sehr genau genommen. Wir kennen von Johann Sebastian Bach 200 Kirchenkantaten, von Telemann dagegen 1747 (wobei die Kantaten für besondere Gelegenheiten wie Prediger-Einführungen und Kircheneinweihungen nicht mitgezählt sind). An Passionen soll Bach 5 komponiert haben, von Telemann lassen sich 46 nachweisen, wozu noch 5 Passionsoratorien kommen. Daß Telemann zu Lebzeiten berühmter gewesen ist als Bach und daß der Leipziger Rat Bach erst zum Thomaskantor ernannte, nachdem Telemann abgelehnt hatte, war für viele Bach-Forscher ein Ärgernis, und so setzte sich mehr und mehr die Tendenz durch, Telemann für den angeblich zu Unrecht genossenen Ruhm büßen zu lassen. Er wurde als Vielschreiber abgestempelt. Da sein Schaffen als unübersehbar galt, konnten aber Editoren risiko- und wahllos Werke von ihm publizieren.

In dieser Situation faßte Max Seiffert, der schon eine wissenschaftliche Neuausgabe der „Musique de table" in den Denkmälern deutscher Tonkunst (Band 60/61) und praktische Neuausgaben der Singe-, Spiel- und Generalbaß-Übungen, der Klavierfantasien und einiger Kammermusikwerke veröffentlicht hatte, den kühnen Plan, das Schaffen Telemanns in einer Gesamtausgabe zu erschließen. Er setzte dabei wohl voraus, daß – ähnlich wie bei der alten Bach-Gesamtausgabe – die notwendigen Quellenforschungen durch die Editionsaufgaben automatisch in Gang gebracht würden. Der Krieg zwang zu einer Einschränkung. In einem Subskriptionsaufruf[1] kündigten Max Seiffert und der Bärenreiter-Verlag 1944 zunächst eine Auswahlreihe von 20 Bänden an, sprachen aber zugleich die Erwartung aus, daß nach Erscheinen dieser 20 Bände das Projekt als Gesamtausgabe weitergeführt werde. Erst 1953, 5 Jahre nach Max Seifferts Tod, konnte der erste Band veröffentlicht werden, nachdem Karl Vötterle sich entschlossen hatte, an dem Plan festzuhalten. Als offizieller Herausgeber fungierte die Gesellschaft für Musikforschung; gefördert wurde die Ausgabe seit 1955 durch die von Friedrich Blume geleitete Musikgeschichtliche Kommission. Zunächst konnten sehr schnell innerhalb von 5 Jahren 11 Bände erscheinen, von denen die meisten schon für die Gesamtausgabe vorgesehen waren. Zwangsläufig mußte sich aber sehr bald die Frage stellen, nach welchen Kriterien eine Auswahl vorzunehmen war und wie gewährleistet werden konnte, daß die ausgewählten Werke nach den zuverlässigsten Quellen ediert wurden. Nach der ersten kritischen Rezension eines Bandes der Telemann-Ausgabe[2] wurde diese Frage in der Musikgeschichtlichen Kommission ausführlich diskutiert, und auf Vorschlag der Kommission wurde der Unterzeichnete 1960 mit der Redaktion und der weiteren Planung der Ausgabe beauftragt. Um eine sinnvolle Auswahl treffen und die Quellen bewerten zu können, mußte man zunächst versuchen, das vielfältige Schaffen Telemanns zu überschauen.

Der Musikhistoriker greift in solchen Fällen zunächst zu Robert Eitners Quellenlexikon. Eitner hatte um 1900 eine wahre Pionierarbeit geleistet, deren Bedeutung für die musikwissenschaftliche Forschung gar nicht hoch genug eingeschätzt werden kann. Wenn aber nach 1945 der Plan gefaßt werden mußte, einen neuen „Eitner" – das „Répertoire International des Sources Musicales" (RISM) – zu schreiben, so war dafür nicht nur die Tatsache ausschlaggebend, daß viele Quellen im Zweiten Weltkrieg zerstört oder verlagert waren. Eitner hatte bei weitem nicht alle Bibliotheken und sonstige Quellenbesitzer erfaßt. Er konnte natürlich auch nicht alle Quellen selbst einsehen, sondern war angewiesen auf die in den Katalogen und Karteien der verschiedenen Bibliotheken nach sehr unterschiedlichen Gesichtspunkten registrierten

[1] Ausschnitte aus dem Subskriptionsaufruf im Vorwort „Zur Ausgabe", Bände 20–25 der Telemann-Auswahlausgabe.
[2] Heinz Becker in: Die Musikforschung 10, 1957, S. 577–581.

Titel, wie sie ihm durch Bibliothekare oder Musikfreunde zugeliefert wurden. Je mehr Werke ein Komponist geschrieben hatte, um so ungenauer waren Eitners Werkverzeichnisse. So bietet gerade der Artikel „Telemann" ein Beispiel für die zeit- und situationsbedingte Unvollkommenheit von Eitners Quellenlexikon. Für einige Gattungen sind die Bestände einzelner Bibliotheken summarisch angegeben (150 Kantaten in Brüssel, 95 Ouvertüren in Darmstadt usw.); aus anderen Bibliotheken wird jedes einzelne Werk auch einzeln aufgeführt. Welche Werke identisch sind, bleibt unklar. Wenn man auf Grund von Eitners summarischen Angaben jahrzehntelang behauptet hat, von Telemann seien über 170 Konzerte erhalten geblieben, so wurde dabei nicht berücksichtigt, daß fast ein Drittel der Konzerte in mehreren Quellen überliefert ist und daß es sich bei vielen als Concerti bezeichneten Kompositionen um Kammermusik handelt. Die autograph überlieferten Passionen Telemanns hat Eitner zweimal registriert, und zwar einmal nach einer älteren und ein zweites Mal nach einer neueren Berliner Bibliothekskartei. Bei einer Passion wurde als Textüberschrift im einen Fall der Anfang des ersten Rezitativs, im anderen der der ersten Arie angegeben. Weltliche Kantaten erscheinen nicht unter den weltlichen Gesangswerken, sondern unter den Kirchenkantaten. Mit „Cembalo largo, Solo 1 e 2" sind die beiden Solosonaten aus den „Essercizii musici" gemeint. Einen Sonderfall, der bezeichnend ist für die Schwierigkeiten, mit denen Robert Eitner zu kämpfen hatte, stellen die Telemann-Bestände der Brüsseler Bibliothèque du Conservatoire dar. Eitner hatte sie zunächst nach dem 1870 von Michel van Lamperen veröffentlichten Brüsseler Bibliothekskatalog aufgenommen, in dem die Titel in französischer Sprache wiedergegeben waren. Häufig hatte man bei der Übersetzung die Gattungen, mitunter auch Instrumente und Tonarten falsch bezeichnet. Gerade noch rechtzeitig, bevor Eitner seinen IX. Band mit den Buchstaben S–T herausbrachte, erschien der neue Brüsseler Katalog von Alfred Wotquenne. Im allgemeinen übernahm Eitner die richtige neue Angabe; eine ganze Reihe der alten falschen Titel blieb aber stehen, z. B. „6 Sonates p. clav. (gestoch.)" – gemeint waren die „Sei Suonatine per Violino e Cembalo", Frankfurt am Main 1718 –, „12 fugues p. clav., Hambg., l'auteur" – nach Käte Schaefer-Schmuck[3] mußten diese Fugen als verloren angesehen werden; gemeint waren aber vermutlich XX Kleine Fugen, Hamburg (1731). Dem Quellenlexikon von Eitner war also nicht zu entnehmen, wieviele Kantaten, Passionen, Ouvertüren usw. Telemann komponiert hatte.
Einige Teilverzeichnisse für einzelne Gattungen aus Telemanns Schaffen wurden zwischen 1919 und 1939 im Rahmen von Dissertationen erarbeitet. So enthält die ungedruckte Dissertation von Hans Graeser[4] einen Katalog der instrumentalen Kammermusik-Werke Telemanns, der auch die Werke für Klavierinstrumente mit einschließt. Das Verzeichnis enthält keine Incipits. Für jedes Werk sind die Titel sowie die Überschriften und Taktvorzeichen der einzelnen Sätze angegeben. Der bedeutendste Fortschritt gegenüber Eitners Quellenlexikon ist darin zu sehen, daß die Bestände der wichtigsten Bibliotheken miteinander verglichen und die Konkordanzen ermittelt worden sind. Wie Eitner hat aber auch Graeser nicht alle Bibliotheken erfassen oder gar aufsuchen können. Bestände aus der Brüsseler Bibliothèque du Conservatoire oder der Königlichen Bibliothek Kopenhagen konnten nur im Anhang registriert werden mit der Anmerkung „Ich konnte sie nicht einsehen" bzw. „Ich konnte keine Auskunft erlangen". Kammermusikwerke, die im Titel als Concerto bezeichnet waren, hat Graeser nicht berücksichtigt. Wenn Titel oder Vorworte von Originaldrucken nicht datiert waren, wird lediglich der 1733 in Amsterdam gedruckte Katalog (F 1 unserer Zusammenstellung) herangezogen als Terminus ante quem bzw. post quem. Bei der Datierung der Quartett-Sammlungen hält sich Graeser an die Kataloge des Pariser Verlegers und Raubdruckers Le Clerc, schließt aus der Reihenfolge der Raubdrucke auf die Reihenfolge der Originalausgaben und muß deshalb Telemanns eigene Angaben als falsch hinstellen. Bei der relativ komplizierten Anordnung hätten Register die Übersicht erleichtert. Sucht man z. B. eine bestimmte Triosonate, so kann sie sich befinden 1. unter den handschriftlich überlieferten Triosonaten (81 Nummern), 2. in einer der Triosonaten-Sammlungen (bei Graeser 4), 3. unter den Sammelwerken gemischten Inhalts, und zwar a) im „Getreuen Music-Meister" (68 Nummern), b) in einem der drei Teile der „Musique de Table" oder c) unter den 12 Triosonaten der „Essercizii musici".
1934 erschien die Dissertation von Käte Schaefer-Schmuck[5] mit einem thematischen Verzeichnis der Klavierwerke. Dieses Verzeichnis enthält eine ganze Reihe von Einzelwerken, die Graeser nicht erfaßt hatte. Von den in unseren Abteilungen 30 bis 35 aufgeführten Titeln fehlten bei Graeser 21, bei Schaefer-

[3] Käte Schaefer-Schmuck, Georg Philipp Telemann als Klavierkomponist, Phil. Diss. Kiel, Borna–Leipzig 1934, S. 2.
[4] Hans Graeser, Georg Philipp Telemanns Instrumental-Kammermusik, Phil. Diss. München 1924 (mschr.; Teil II = Bibliographischer Katalog).
[5] s. o., Anm. 3.

Schmuck nur noch 13. Bei dem Versuch, alle Werke in eine chronologische Ordnung zu bringen, konnten zwei Originaldrucke ein wenig präziser datiert werden als bei Graeser; bei den handschriftlich überlieferten Werken wurde fälschlich vorausgesetzt, daß die Bestände der Darmstädter Bibliothek aus Telemanns Eisenacher oder Frankfurter Zeit stammen müßten. Bei den sogenannten „Darmstädter Soli" handelt es sich aber um Abschriften aus den 1739/40 in Hamburg gedruckten „Essercizii musici". Das angeblich früheste Werk, ein Menuett, stammt nicht aus dem Jahre 1699 (s. unter 35:6).
Ein nicht thematisches Verzeichnis der Orchestersuiten legte Horst Büttner 1935 vor[6]. Er hat nahezu alle heute bekannten Ouvertüren erfaßt. Die komplizierte Gliederung des Verzeichnisses erklärt sich aus dem Thema der Dissertation; es ging hier um die verschiedenen Möglichkeiten, das Prinzip des Konzertierens in der Orchester-Ouvertüre anzuwenden. Daher gliedert Büttner: Streichersuiten, Suiten für 1 konzertierendes Instrument und Streicher, Duosuiten mit einem Duo, Duosuiten mit 2 Duos, Konzertgruppensuiten mit einer Konzertgruppe, Konzertgruppensuiten mit mehreren Konzertgruppen, Großkonzertsuiten, Mischformen, Bläsersuiten und in Druckwerken erhaltene Suiten. Nicht immer lassen sich die Suiten eindeutig einer dieser Gruppen zuordnen. Wer von einer anderen Fragestellung her eine bestimmte Suite suchte, mußte den ganzen Katalog durchsehen.
Als Beitrag zu der ursprünglich geplanten Gesamtausgabe gedacht waren offensichtlich die von Günter Hausswald herausgegebenen Bände 6–8 der Telemann-Ausgabe (erschienen 1955), in denen die gesamte Kammermusik ohne Generalbaß (unsere Gruppe 40:) erfaßt ist. Die Quellen werden nahezu vollständig nachgewiesen. Der Zirkelkanon Band 8, S. 92, stammt allerdings von Johann Joachim Quantz (s. Anh. 40:103).
Aus dem Bereich der Vokalmusik untersuchte Hans Hörner in seiner 1933 erschienenen Dissertation[7] die Passionskompositionen. Sein Katalog erfaßt alle 46 gottesdienstlichen Passionen (mit Evangelientext), die Telemann in Hamburg Jahr für Jahr komponieren mußte. Hörner hat seinerzeit noch alle Textbücher einsehen können. Von diesen 46 Passionen waren damals noch 23 erhalten. Von ihnen teilt Hörner in einem thematischen Katalog die Incipits aller Sätze mit, außerdem die Incipits von 4 der 5 erhaltenen Passionsoratorien, die Telemann neben den 46 Passionen komponiert hatte.
Die Quellen aller Vokalwerke Telemanns wurden in den 1930er Jahren von Werner Menke erfaßt. Nach dem Kriege bestand keine Chance, die umfangreiche Bibliographie im Druck zu veröffentlichen. Ein hand- und maschinengeschriebenes Exemplar wurde von der Stadt- und Universitätsbibliothek Frankfurt am Main erworben. Erst nach Durchsicht dieser Bibliographie kann man eine ungefähre Vorstellung von dem Ausmaß der geleisteten Arbeit gewinnen. Das Thematische Verzeichnis umfaßt 20 Aktenbände. Hier sind alle Quellen aufgeführt und beschrieben, geordnet nach Bibliotheken. Werke, die in mehreren Quellen erhalten sind, erscheinen an mehreren Stellen. Dieses Quellenverzeichnis wird erschlossen durch einen zweiten Katalog, in dem die 2340 nachweisbaren Vokalwerke alphabetisch nach Textanfängen geordnet sind. Wenn man einen Textanfang weiß, findet man hier den Nachweis der Quellen. Will man dagegen erfahren, wieviele Opern, weltliche Kantaten, Prediger-Einführungsmusiken usw. Telemann geschrieben hat, so muß man Werner Menkes Buch zu Rate ziehen[8]. In weiteren Einzelkatalogen sind die datierbaren Werke, die Bestände der einzelnen Bibliotheken und die erhaltenen Textdrucke aufgeführt.
An die Vokalwerke war also heranzukommen – nicht zuletzt auch dank der steten Hilfsbereitschaft von Wolfgang Schmieder, dem damaligen Leiter der Musikabteilung der Frankfurter Bibliothek. Bedauerlicherweise haben viel zu wenig Telemann-Editoren von dieser Möglichkeit Gebrauch gemacht.
Die Erfassung der Instrumentalwerke mußte im Jahre 1960 die vordringliche Aufgabe des Redaktors der Telemann-Ausgabe sein. Über eine ganze Reihe von Gattungen hatte man noch keinen Überblick. Die vorhandenen Teilbibliographien gaben den Vorkriegsstand wieder und wiesen erhebliche Lücken auf. Es war klar, daß bei einem Telemann-Werkverzeichnis weder an eine durchgehend chronologische Anordnung zu denken war, wie sie Ludwig Ritter von Köchel beim Mozart-Verzeichnis versucht hatte, noch an eine fortlaufende Numerierung, wie sie Wolfgang Schmieder beim Bach-Werkeverzeichnis vornehmen konnte, nachdem anderthalb Jahrhunderte lang die Quellen zum Schaffen Johann Sebastian Bachs systematisch gesammelt worden waren. Ein Telemann-Werkverzeichnis konnte nur ein erster Versuch sein. Es mußte möglich bleiben, neu auftauchende Quellen nachträglich einzufügen.

[6] Horst Büttner, Das Konzert in den Orchestersuiten Georg Philipp Telemanns, Wolfenbüttel und Berlin 1935.
[7] Hans Hörner, Georg Philipp Telemanns Passionsmusiken, Phil. Diss. Kiel, Borna–Leipzig 1933.
[8] Werner Menke, Das Vokalwerk Georg Philipp Telemanns, Phil. Diss. Erlangen, Borna–Leipzig 1941.

So bot sich als Modell Anthony van Hobokens Haydn-Verzeichnis an:

Untergliederung nach Gattungen;

jede Gattung erhält eine Kennziffer mit Doppelpunkt, jedes Werk eine zweite laufende Nummer;

zusätzlich wird bei denjenigen Gattungen, für die viele Kompositionen vorliegen, nach Tonarten untergliedert;

innerhalb einer jeden Unterabteilung (Gattung oder Tonart) erscheinen zuerst die in Originaldrucken überlieferten Werke in chronologischer Folge, danach die handschriftlich erhaltenen, geordnet nach Bibliotheken (beginnend mit denjenigen, die die meisten Telemann-Quellen besitzen).

Von vornherein war daran gedacht, daß die Möglichkeit offenbleiben mußte, auch die Vokalwerke in das System einzugliedern. Daher begannen die Instrumentalwerke als Abteilung 3 (Werke für Klavierinstrumente und Laute) mit den Gattungsnummern 30:ff.; Abteilung 4 enthielt die Kammermusik mit den Gattungsnummern 40:ff.; Abteilung 5 Werke für Orchester, Gattungsnummern 50:ff. Es blieben frei die Abteilung 1 für die geistlichen Vokalwerke (1:ff.) und die Abteilung 2 für die weltlichen Vokalwerke (20:ff.).

Auf dieser Grundlage konnte die Arbeit beginnen. Sie wurde in den ersten Jahren dankenswerterweise unterstützt durch die Deutsche Forschungsgemeinschaft, die den Besuch von Bibliotheken und die Beschaffung von Mikrofilmen ermöglichte. Beim internationalen musikwissenschaftlichen Kongreß 1962 in Kassel, bei dem über das Vorhaben zum erstenmal berichtet wurde[9], kam es zu einer Begegnung mit Adolf Hoffmann, der eine Schrift über Telemanns Orchestersuiten vorbereitete. Er konnte dafür gewonnen werden, sein geplantes Verzeichnis unter den oben skizzierten Gesichtspunkten anzulegen, so daß es sich in das Werkverzeichnis einfügen ließ. Dieses Teilverzeichnis mit der Gattungsnummer 55: erschien 1969 in dem Buch von Adolf Hoffmann[10].

Nach eingehenden Verhandlungen, bei denen Wolfgang Rehm als Vertreter des Bärenreiter-Verlags sehr produktiv beteiligt war, kam Anfang 1965 eine Einigung mit Werner Menke zustande. Er erklärte sich bereit, die beiden ersten Bände des Telemann-Werkverzeichnisses (TWV) herauszugeben. Der erste (zunächst zurückzustellende) sollte die Kantaten für den gottesdienstlichen Gebrauch enthalten, der zweite die sonstigen geistlichen und die weltlichen Vokalwerke. Den Prinzipien des TWV entsprechend war – abweichend von Werner Menkes ursprünglicher Bibliographie – nach Gattungen zu untergliedern; außerdem mußten die durch den Krieg verursachten Veränderungen berücksichtigt werden.

Erste Ergebnisse der Quellenstudien fanden ihren Niederschlag in einigen Publikationen. 1966 erschien der MGG-Artikel Telemann mit einem ausführlichen Verzeichnis der Werke und der Originalausgaben. Der Aufsatz „Telemann als Musikverleger" in der Vötterle-Festschrift[11] legte an Hand von Telemanns Verlagskatalogen und von Presseanzeigen (s. u. S. 231ff.) die Chronologie der Originaldrucke fest. Dem Problem der Pariser Raubdrucke war der Beitrag in der Festschrift für Wolfgang Schmieder[12] gewidmet. Ein Verzeichnis aller Druckpublikationen Telemanns wurde für das RISM (Reihe A/I, Band 8) zusammengestellt.

Der ursprünglich vorgesehene Zeitplan konnte jedoch nicht eingehalten werden. Berufliche Veränderungen erzwangen eine Zurückstellung des Projekts. Erst im Blick auf das Telemann-Jahr 1981 gab der Bärenreiter-Verlag die Anregung, das Begonnene zum Abschluß zu bringen. Bedauerlicherweise war Werner Menke nicht mehr bereit, seine beiden Bände im Rahmen des TWV des Bärenreiter-Verlags zu veröffentlichen. Sie erscheinen jetzt in einem anderen Verlag, halten sich aber an die seinerzeit für den zweiten Band vereinbarten Gliederungsprinzipien (geistliche und gemischt geistlich/weltliche Vokalmusik = Gruppe 1: bis 15:; weltliche Vokalmusik = Gruppe 20: bis 25:). Entgegen der ursprünglichen Planung ist der Band mit den Kirchenkantaten (Gruppe 1:) als erster erschienen[13]. Aus verschiedenen Gründen sollte er zunächst zurückgestellt werden; die 1749 Kantaten sind jetzt in alphabetischer Reihenfolge aufgeführt.

[9] Martin Ruhnke, Zum Stand der Telemann-Forschung, in: Kongreßbericht Kassel 1962, Kassel 1963, S. 161–164.

[10] Adolf Hoffmann, Die Orchestersuiten Georg Philipp Telemanns, Wolfenbüttel und Zürich 1969.

[11] Martin Ruhnke, Telemann als Musikverleger, in: Musik und Verlag, Festschrift Karl Vötterle zum 65. Geburtstag, herausgegeben von Richard Baum und Wolfgang Rehm, Kassel 1968, S. 502–517.

[12] Martin Ruhnke, Die Pariser Telemann-Drucke und die Brüder Le Clerc, in: Quellenstudien zur Musik, Festschrift Wolfgang Schmieder zum 70. Geburtstag, herausgegeben von Kurt Dorfmüller in Verbindung mit Georg von Dadelsen, Frankfurt am Main 1972, S. 149–160.

[13] Werner Menke, Thematisches Verzeichnis der Vokalwerke von Georg Philipp Telemann, Band 1, Cantaten zum gottesdienstlichen Gebrauch, Frankfurt am Main 1982.

In der Zwischenzeit sind einige weitere Teilverzeichnisse erschienen, die die Arbeit am zweiten Band der Instrumentalwerke erleichtern werden bzw. dem zweiten Band von Werner Menke bereits zugute gekommen sind. 1969 hat Siegfried Kross[14] ein thematisches Verzeichnis der Instrumentalkonzerte Telemanns vorgelegt; darunter fallen alle Werke, in denen eine oder mehrere Solostimmen einem Tutti gegenübergestellt werden (also nicht Kammermusikwerke, die als Concerti bezeichnet worden sind). Die maschinenschriftlich erhaltene Dissertation von Willi Maertens[15] enthält ein umfassendes thematisches Verzeichnis (88 Seiten Text mit Quellennachweisen, 100 Seiten Noten-Incipits) von Telemanns Kapitänsmusiken. 1975 hat J. Robert Flexer ein Verzeichnis der Triosonaten Telemanns zusammengestellt; darauf wird im folgenden Band zurückzukommen sein.

Wie schon erwähnt, kann in diesem ersten Band des Teils Instrumentalwerke keine Perfektion angestrebt werden. In den Hauptteil werden alle Werke aufgenommen, die in einer Quelle Telemann zugeschrieben sind. Untersuchungen über die Kopisten und ihre Zuverlässigkeit, zur Herkunft der Handschriften und zur Chronologie der handschriftlich überlieferten Werke bleiben Zukunftsaufgaben. Nach Erscheinen des Verzeichnisses wird man vermutlich auf weitere Werke stoßen, die in anderen Quellen anderen Komponisten zugeschrieben sind (wie z. B. Anh. 41: G 1). Aus stilistischen Gründen werden nur in einem Fall Zweifel an der Echtheit angemeldet, und zwar für die letzten 6 der 16 Sonaten einer Sammelhandschrift (s. 41: C 6); die betreffenden Sonaten werden trotzdem im Hauptteil registriert. Diejenigen Stücke, die nicht in den Hauptteil gehören, werden nicht in einem geschlossenen Anhang zusammengefaßt, sondern zur leichteren Orientierung am Schluß einer jeden Gruppe (Gattung oder Tonart) aufgeführt. Es erscheinen hier

ohne zusätzliche Nummer (also nur: Anh. 30:)

- transponierte Fassungen,
- von Telemann autorisierte Alternativ-Besetzungen,
- summarische Hinweise auf mögliche Alternativ-Besetzungen;

mit zusätzlicher Nummer (Anh. 30: 1)

- Werke, die Telemann fälschlich zugeschrieben sind oder bei denen er als Verfasser sehr unwahrscheinlich ist,
- Bearbeitungen von Werken, die ursprünglich in eine andere Gattung gehört haben (auch wenn die Vorlage zur Zeit nicht nachweisbar ist),
- fragmentarisch erhaltene Werke, die zu anderen Gattungen gehören,
- Pasticci.

Im vorliegenden Band ergab sich lediglich bei der Gruppe 41: (Kammermusik für 1 Instrument und Generalbaß) die Notwendigkeit, zusätzlich nach Tonarten zu untergliedern. Während in den anderen Gruppen Druckausgaben, die mehrere Werke enthalten, zusammenbleiben konnten, mußten sie in Gruppe 41: auseinandergerissen werden. Die Angaben zum Gesamtinhalt und zu den Fundorten sowie die Anmerkungen finden sich bei dem Stück der Sammlung, das nach der Tonartenordnung als erstes registriert ist; auf dieses wird bei den übrigen Stücken der Sammlung verwiesen.

Chronologisch einordnen lassen sich einstweilen nur die Drucke. Wenn ein Werk 1730 erschienen ist, so besagt dies natürlich nur, daß Telemann es nicht nach 1730 komponiert hat. Gerade im Hinblick auf den Stilwandel, der sich in der Musikgeschichte um 1740 zeigt, ist es für uns von Bedeutung, daß wir wenigstens die Originaldrucke datieren können. Zur Begründung der Datierungen bietet schon der vorliegende Band im Anschluß an das thematische Verzeichnis eine die Vokalwerke mit einschließende Gesamtübersicht über Telemanns Druckpublikationen. Bis 1740 hat er seine gedruckten Werke (mit einer Ausnahme) im Selbstverlag herausgebracht. Die im Abschnitt 1a zusammengestellten Kataloge und Presseanzeigen bieten die Grundlage für die Datierung der im Abschnitt 1b zusammengestellten 47 Publikationen der Zeit bis 1740. 8 weitere Publikationen erschienen nach 1740 in anderen deutschen Verlagen (Abschnitt 2), 5 weitere in ausländischen Verlagen (Abschnitt 3). Bei den Nachdrucken von Publikationen Telemanns durch ausländische Verleger (Abschnitt 4) handelt es sich zum größten Teil um Raubdrucke (vgl. dazu den in Anm. 12 genannten Aufsatz). Schließlich wird (Abschnitt 5) der Gesamtinhalt von Telemanns Musikalien-Zeitschrift „Der getreue Music-Meister" zusammengestellt. Hier hat Telemann 29 eigene Instrumentalwerke veröffentlicht; wenn sie im thematischen Verzeichnis erscheinen, wird stets auf diese Gesamtübersicht verwiesen.

[14] Siegfried Kross, Das Instrumentalkonzert bei Georg Philipp Telemann, Tutzing 1969.

[15] Willi Maertens, Georg Philipp Telemanns Hamburger Kapitänsmusiken, Phil. Diss. Halle–Wittenberg 1975 (mschr.; 2 Bände).

Die Untergliederung des Verzeichnisses erlaubt nachträgliche Einfügungen. Es ist damit zu rechnen, daß weitere, bisher noch nicht erfaßte Werke Telemanns auftauchen. Der Verlag wie auch der Verfasser des Verzeichnisses sind für alle Hinweise dankbar. Zu den unvermeidlichen Unvollkommenheiten gehört es, daß zweifellos nicht alle der unendlich vielen Neudrucke erfaßt werden konnten.

Ohne die Hilfe vieler Kollegen und Institutionen hätte die Arbeit nicht zum Abschluß gebracht werden können. In zahlreichen Bibliotheken habe ich bereitwilligste Unterstützung gefunden, vor allem in Darmstadt, Berlin (West), Frankfurt am Main, München, Dresden, Berlin (Ost), Leipzig, Schwerin, Brüssel und Paris. Auch die übrigen im Verzeichnis genannten Bibliotheken haben mir durch Auskünfte weitergeholfen oder Mikrofilme zur Verfügung gestellt. Daß die in englischen Bibliotheken aufbewahrten Telemann-Quellen erfaßt werden konnten, war nur möglich durch die Hilfe von Walter Bergmann, der im Einvernehmen mit der Dolmetsch-Foundation diese Aufgabe übernommen hat. Eine Reihe von Musikverlagen hat mich bei der Ermittlung der Neudrucke unterstützt, neben dem Bärenreiter-Verlag vor allem die Verlage Schott, Peters und Moeck. Zahlreiche Hinweise verdanke ich einigen Kollegen aus der DDR, die sich über den Arbeitskreis „Georg Philipp Telemann" im Deutschen Kulturbund Magdeburg sehr aktiv und mit großem Erfolg für die Pflege der Werke Telemanns und für die wissenschaftliche Auseinandersetzung mit ihnen eingesetzt haben: mein ganz besonderer Dank gilt Wolf Hobohm, Willi Maertens und Günter Fleischhauer. Die Zusammenarbeit mit dem Bärenreiter-Verlag gestaltete sich in höchstem Maße erfreulich. In der Anfangsphase hat Karl Vötterle lebhaften Anteil an dem Vorhaben genommen; die Planung wurde durch Wolfgang Rehm wesentlich beeinflußt. In der Schlußphase haben Dietrich Berke und vor allem Dorothee Hanemann wesentlichen Anteil an der Gestaltung der Druckvorlage genommen. Allen hier Genannten und der Deutschen Forschungsgemeinschaft sei für ihre Hilfe verbindlichst gedankt.

Erlangen, Mai 1983 Martin Ruhnke

Bibliothekssigel

A Wn	Wien, Österreichische Nationalbibliothek
B Bc	Brüssel, Conservatoire Royal de Musique, Bibliothèque
B Br	Brüssel, Bibliothèque Royale Albert 1er
D-brd B	Berlin, Staatsbibliothek Preußischer Kulturbesitz
D-brd Bim	Berlin, Staatliches Institut für Musikforschung (Stiftung Preußischer Kulturbesitz), Bibliothek
D-brd BMs	Bremen, Universität Bremen, Bibliothek (früher: Staatsbibliothek und Universitätsbibliothek)
D-brd BNms	Bonn, Musikwissenschaftliches Seminar der Universität
D-brd DS	Darmstadt, Hessische Landes- und Hochschulbibliothek
D-brd Hs	Hamburg, Staats- und Universitätsbibliothek, Musikabteilung
D-brd JE	Jever, Marien-Gymnasium, Bibliothek
D-brd Mbs	München, Bayerische Staatsbibliothek, Musiksammlung
D-brd PA	Paderborn, Erzbischöfliche Akademische Bibliothek
D-brd RH	Rheda (Nordrhein-Westfalen) Fürst zu Bentheim-Tecklenburgische Bibliothek (als Dauerleihgabe in Münster, Universitätsbibliothek)
D-brd Rp	Regensburg, Bischöfliche Zentralbibliothek (Proske-Musikbibliothek)
D-ddr Bds	Berlin, Deutsche Staatsbibliothek
D-ddr Dl (b)	Dresden, Sächsische Landesbibliothek, Musikabteilung
D-ddr LEm	Leipzig, Musikbibliothek der Stadt Leipzig
D-ddr ROn	Rostock, Universitätsbibliothek
D-ddr SWl	Schwerin, Wissenschaftliche Allgemeinbibliothek
D-ddr SWsk	Schwerin, Schloßkirchenchor
DK Kk	Kopenhagen, Det kongelige Bibliotek
F Pc	Paris, Bibliothèque nationale (ancien fonds du Conservatoire national de musique)
F Pmeyer	Paris, Collection André Meyer
F Pn	Paris, Bibliothèque nationale
F Pthibault	Paris, Bibliothèque Geneviève Thibault
GB Lbl	London, The British Library (ehem. British Museum)
H Bn	Budapest, Széchényi Nationalbibliothek
I Bc	Bologna, Civico Musico Bibliografico-Musicale
I Gi(l)	Genua, Biblioteca dell'Istituto (Liceo) Musicale „Paganini"
I Rsc	Rom, Biblioteca Musicale governativa del Conservatorio di Santa Cecilia
NL DHgm	Den Haag, Gemeente Museum
PL Wu	Warschau, Biblioteka Uniwersytecka
PL WRu	Breslau, Biblioteka Uniwersytecka
S LB	Leufsta Bruk
S Skma	Stockholm, Kungliga Musikaliska Akademiens Bibliotek
S Uu	Uppsala, Universitetsbiblioteket
US IO	Iowa City (Ia.) University of Iowa, Music Library
US NH	New Haven (Conn.), Yale University, The Library of the School of Music
US Wc	Washington (D.C.), Library of Congress, Music Division

Thematisches Verzeichnis

Abteilung 3: Werke für Klavierinstrumente und Laute

30: Fugen

30: 1–20 20 kleine Fugen für Orgel oder Klavier

9
(24 oder 27 T.)
10
(34 T.)
11
(29 T.)
12
(25 T.)
13
(52 T.)
14
(47 T.)
15
(25 T.)
16
(28 T.)
17
(29 T.)

18

19

20

Druck: XX Kleine Fugen, so wohl auf der Orgel, als auf dem Claviere zu spielen, nach besonderen Modis verfasset, und dem hochberühmten Venetianischen Nobili und Haupte der Virtuosen, Herrn Benedetto Marcello, gewidmet, Hamburg, gedruckt bei Ph. L. Stromer (nur Titelblatt und Vorwort), (Selbstverlag, 1731).

B Bc, FA VI, 49; **GB** Lbl, K 5 a 8 und b 148 (hier zusammengebunden mit 31: 1–48); bis 1945 ferner UB Königsberg, 15827.

Ausgaben: Nagels Musik-Archiv 13 (W. Upmeyer); G. Ph. Telemann, Orgelwerke Bd. II, Kassel, BA 3582 (T. Fedtke).

6 Fugen in: Sechs Fantasien und 6 Fugen für Klavier, Leipzig, VEB Breitkopf & Härtel, Ed. 4116, 1965 (W. Tell); 30: 1, transponiert nach c, in: 45 leichte Vor- und Nachspiele der Meister des 16. bis 18. Jahrhunderts, Nr. 38, Frankfurt/Oder, G. Bratfisch, 1937 (W. Trenkner); 30: 1 in: Fantasie über eine Fuge von G. Ph. Telemann für Orgel, op. 115, Heidelberg, Süddeutscher Verlag, W. Müller, 1975 (K. Bossler); 30: 8 in: Freie Orgelstücke alter Meister, Band II, Kassel BA 5478 (A. Graf); 30: 13 in: Neues deutsches Orgel-Magazin, Bd. Ib Nr. 5, Magdeburg, Heinrichshofen, Nr. 704b; 30: 14 in: Quarante-six Pièces pour Orgue ou Harmonium, Paris, Hérelle & Cie. (F. Raugel); 30: 16 in: Orgel-Archiv, Heft 3 Nr. 4 (Becker und Richter) und in: Orgelkompositionen aus alter und neuer Zeit zum kirchlichen Gebrauch wie zum Studium, Bd. I, S. 126, Regensburg, 1909 (O. Gauss); 30: 16 in: Die gebräuchlichsten Choräle der evangelischen Kirche, 5.–7. Heft, S. 505, Erlangen, A. Deichert (J. G. Herzog); 30: 16 in: Das praktische Orgelbuch, Bd. I, Mainz, Schott, Ed. 4333 (A. Pichler); 30: 16 und 18: 2 Fugen für 4 Blockflöten, Deutsche Meister des Barock, Mainz, Schott, Ed. 4505 (W. Hillemann, bearbeitet und erweitert für 4 Stimmen); 30: 20, 7, 9 und 13 in: Four Fugues arr. for recorder quartet, London, Faber Music Ltd., FM 352 (W. Bergmann).

Anmerkungen: Das Vorwort ist datiert 24. 9. 1731. Am 30. 11. 1731 wird der Druck im Holsteinischen Correspondenten unter den erschienenen Veröffentlichungen Telemanns aufgeführt.

Die Fugen waren gedacht als Vorspiele zu 20 in ungewohnten Tonarten stehenden Kirchenliedern aus Telemanns 1730 veröffentlichter Sammlung Fast allgemeines Evangelisch-Musikalisches Liederbuch (Faks. Neudruck hrsg. v. S. Kross in: Dokumentation zur Geschichte des deutschen Liedes, Bd. 3, Hildesheim und New York, Georg Olms Verlag, 1977). Im Anhang des Liederbuchs (S. 185f.) hatte Telemann bereits die Modulationsschemata für die 20 Vorspiele entworfen. Im Anschluß an das Vorwort zur Ausgabe der Fugen druckt Telemann dieselben Schemata noch einmal ab, gibt für jede Fuge die Tonart an und vermerkt, welche Alterationen in der Oberstimme auf Grund der Tonart nicht vorgenommen werden dürfen. 11 Fugen weisen einen offenen Schluß auf; dem Vorsänger sollte „der Anfangston des Liedes gleichsam in den Mund gelegt" werden. Vier weitere Fugen (Nr. 3, 5, 9 und 18) stellen zwei Möglichkeiten für den Schluß zur Auswahl (vgl. M. Ruhnke, G. Ph. Telemanns Klavierfugen, Musica 1964, Beiheft Practica, S. 103ff.).

Telemanns Vorwort s. in den beiden vollständigen Ausgaben.

30: 21 26 Leichte Fugen und kleine Stücke für Klavier

(24 T. + 12 T. da capo)
Allegro
(8 T.)
23
(74 T.)
(40 T.)
Vivace
(22 T.)
Vivace
(30 T.)
24
(69 T.)

Allegro
(T.24)
tr
tr
(44 T. + 24 T. da capo)
(20 T.)
Vivace
tr
(24 T.)

25
(43 T.)
Presto
tr
(24 T. + 8 T. da capo)
3
3
(28 T.)
Allegro
(22 T.)

26
(49 T.)

Druck: Fugues Legeres et Petits Jeux A Clavessin Seul, A Hambourg, chez l'auteur (1738/39). **B** Bc, U 6241; **GB** Lbl, g 401 c; **F** Pthibault.

Ausgaben: Leichte Fugen und kleine Stücke für Klavier, Kassel, BA 268 (M. Lange). 30: 25,4 (Allegro e-moll) in: Leichte Klaviermusik aus alter Zeit, Berlin, R. Birnbach, 1954 (W. Frickert); 30: 21,4, 24,2 und 24,4, bearb. für Sopr.- und Alt-Blockflöte, in: G. Ph. Telemann, Elf Stücke, Zeitschrift für Spielmusik, Celle, Hermann Moeck Verlag, 1942 (E. Hagemann); 30: 22,4 Allegro in: Leichte Klaviermusik des Barock, Mainz, Schott, Ed. 5096 (F. Emonts); 30: 24,2 (transponiert nach g) Allegro in: Aus der Blütezeit des Barock, Duette für Altblockflöten, Mainz, Schott, Ed. 4369 (W. Hillemann).

Anmerkungen: In der Autobiographie 1739 (Katalog M) als vorletzte Komposition genannt unter dem Titel Galanterie-Fugen und kleine Stücke fürs Clavier; das als drittletztes genannte Werk ist 1738 erschienen.
12 der 25 Sätze, bearbeitet für Orgel, finden sich in der Sammelhandschrift **D-ddr** Bds, Mus. ms. 30289. Die Bearbeitung geht zweifellos nicht auf Telemann zurück; sie weist zahlreiche Fehler sowie entstellende Tempobezeichnungen und Satzüberschriften auf (30: 25,2 Moderato statt Presto; 30: 26,3 Cantabile statt Vivace).

30: 27 Fughetta F-dur für Klavier oder Orgel

Abschriften: D-ddr Bds, Mus. ms. 30112, Nr. 9; **B** Bc, U 6322, Nr. 4 (ohne Angabe des Komponisten).

Ausgaben: in: Praeludien-Buch, Erlangen, 5/1854, Bd. IV, Teil 3, Nr. 46 (G. W. Körner und A. G. Ritter); in: Der Orgel-Freund, Erfurt und Leipzig, Bd. VIII/5, Nr. 39 (G. W. Körner und A. G. Ritter); in: Orgel-Journal, Mannheim, 1831/32, Bd. I, Heft 9, S. 4 und Bd. III, S. 38 (K. F. Heckel); in: Der praktische Organist, Mainz, Schott's Söhne Nr. 7720, Bd. II, Nr. 37 (J. C. Herzog); in: De Kerkorgelist – Der Kirchenorganist, Leipzig, Breitkopf Nr. 5545, Bd. I, Nr. 118 (A. Moortgat); in: Cadenzen, Versetten, Präludien und Fugen für die Orgel, München, Königlicher Central-Schulbücher-Verlag, Nr. 4; transponiert nach Es-dur in: Klassisches Prima-vista-Album, Paderborn, (1907), Nr. 61 (W. Wilden); in: G. Ph. Telemann, Orgelwerke, Bd. II, Kassel, BA 3582, S. 56 (T. Fedtke); in: Freie Orgelstücke alter Meister, Band II, Kassel, BA 5478 (A. Graf).

30: 28 Fughetta D-dur für Klavier oder Orgel

Druck: in: J. A. Hiller, Wöchentliche Nachrichten und Anmerkungen die Musik betreffend, Bd. II, Leipzig, 1767, S. 54f.

Abschriften: **D-ddr** Bds, Mus. ms. 30112, Nr. 57; **B** Bc, U 6322, Nr. 5.

Ausgaben: in: Selection of Practical Harmony, Bd. I, S. 75 (M. Clementi); in: Orgel-Journal, Mannheim, 1831/32, Bd. III, S. 16 (K. F. Heckel); in: Les Clavecinistes de 1637 à 1790, Paris, 1867, Bd. II, Nr. 119 (A. Méreaux); in: Le Piano Classique, Paris, Consortium musical, Vol. F, Nr. 8 (Henri Classens); Fughetta en Ré Majeur pour Piano, Paris, Librairie Hachette & Cie. (H. Parent); in: Orgel-Archiv, Braunschweig, Litolff Nr. 10725, Bd. II, Nr. 32 (W. Volckmar); in: Der junge Klassiker, Leipzig, Bd. I (E. Pauer); in: Cent Pièces, transcrites et adaptées à tous les Offices du Culte Catholique, pour Orgue-Harmonium, Quatrième Messe, Sortie, Paris, A. Leduc, 1890 (J. Schluty); in: G. Ph. Telemann, Orgelwerke, Bd. II, Kassel, BA 3582, S. 58 (T. Fedtke); in: Freie Orgelstücke alter Meister, Band II, Kassel, BA 5478 (A. Graf).

30: 29 Fuga e-moll für Klavier oder Orgel

Abschrift: **D-brd** Hs, ND VI, Mus. Nr. 3326 (seit 1945 verschollen).

Anmerkungen: Thema und Signatur nach K. Schäfer-Schmuck, S. 23. Im Katalog Graeser erscheint unter A 12 mit derselben Signatur nicht diese Fuge, sondern eine Fuga C-dur (₵).

30: 30 Fuge D-dur

Abschrift: nicht nachgewiesen.

Ausgabe: in: Orgelmusik für Unterricht, Kirche und Haus, Leipzig, Rieter-Biedermann, S. 18 (K. E. Hering).

30: 31 Kanon g-moll für Orgel

Abschrift: nicht nachgewiesen.

Ausgabe: in: Orgelschule, Bd. I, Mainz, Schott, Ed. 2555a (Kaller).

Anh. 30:

Fuga C-dur (₵)

s. Anm. zu 30: 29

Kleine Fuge c-moll

s. 30: 1

Fuge Es-dur

s. 30: 27

Anh. 30: 1 Fuge a-moll von Georg Michael Telemann

Druck: G. M. Telemann, Beytrag zur Kirchen-Musik, Königsberg und Leipzig, 1785, Teil III Nr. 1 (Fundorte s. RISM A/I/8, S. 328).

Abschriften: **B** Bc, U 6322 (G. M. Telemann), **A** Wn, S. m. 5089 (Telemann).

Ausgaben: (unter Telemann) in: Auswahl vorzüglicher Musik-Werke, Berlin, Trautwein, 1837, und in: Le Trésor des Pianistes, Bd. IX (L. Farrenc); (unter G. M. Telemann) in: Der vollkommene Organist, Wien, Haslinger.

Anmerkungen: Auf diese von Georg Michael Telemann stammende Fuge gründet R. Oppel (Bach-Jb. 1921, S. 10f.) sein negatives Urteil über die Fugentechnik Georg Philipp Telemanns.

Anh. 30: 2 Fuga alla Capella F-dur von Georg Michael Telemann

Druck: s. Anh. 30: 1, Teil III Nr. 2.

Abschriften: **D-brd** B, Mus. ms. 21790/10; **A** Wn, S. m. 5089 (Telemann); **B** Bc, U 6322 (G. M. Telemann).

Ausgaben: (unter Telemann) in: 45 leichte Vor- und Nachspiele der Meister des 16. bis 18. Jh., Nr. 37, Frankfurt/Oder, Bratfisch, (1937), (W. Trenkner); (unter G. M. Telemann) in: Der vollkommene Organist, Wien, Haslinger.

Anh. 30: 3 Fuga g-moll

Abschrift: **B** Bc, XY 27218, Nr. 23: Zweystimmiger Kanon im Einklang oder 8ve
= Klavierübertragung von 40: 119,1

31: Choralvorspiele

31: 1–48 Fugierende und verändernde Choräle

1 Vater unser im Himmelreich

2 Vater unser im Himmelreich

3 Allein Gott in der Höh sei Ehr

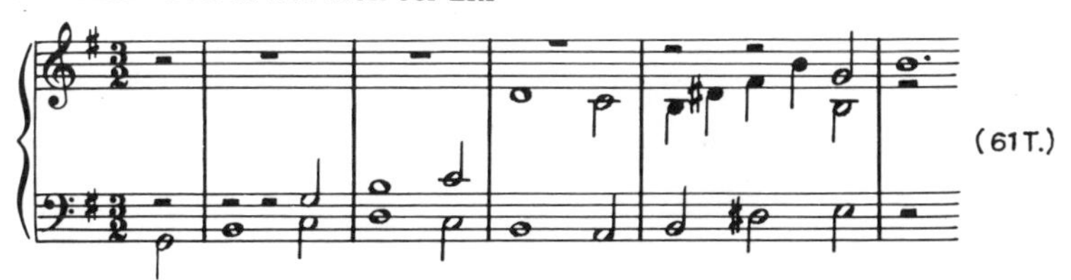

4 Allein Gott in der Höh sei Ehr

5 Komm, heilger Geist

6 Komm, heilger Geist

7 Herr Jesu Christ, dich zu uns wend'

8 Herr Jesu Christ, dich zu uns wend'

9 Schmücke dich, o liebe Seele

10 Schmücke dich, o liebe Seele

11 Straf mich nicht in deinem Zorn

12 Straf mich nicht in deinem Zorn

13 Ach wir armen Sünder

14 Ach wir armen Sünder

15 Alle Menschen müssen sterben

16 Alle Menschen müssen sterben

17 O Lamm Gottes unschuldig

18 O Lamm Gottes unschuldig

19 Ich ruf zu dir, Herr Jesu Christ

20 Ich ruf zu dir, Herr Jesu Christ

21 Herzlich tut mich verlangen

22 Herzlich tut mich verlangen

23 Christus, der uns selig macht

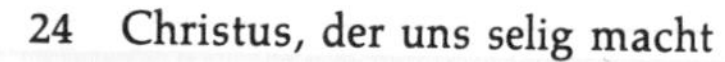

24 Christus, der uns selig macht

25 Durch Adams Fall

26 Durch Adams Fall

27 Christ lag in Todesbanden

28 Christ lag in Todesbanden

29 Erschienen ist der herrlich Tag

30 Erschienen ist der herrlich Tag

31 Herr Christ, der einig Gottes Sohn

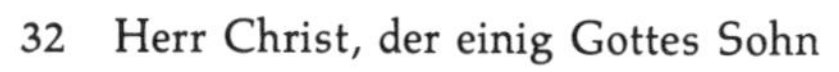

32 Herr Christ, der einig Gottes Sohn

33 Jesu, meine Freude

34 Jesu, meine Freude

35 Was mein Gott will, das g'scheh allzeit

36 Was mein Gott will, das g'scheh allzeit

37 Wie schön leuchtet der Morgenstern

38 Wie schön leuchtet der Morgenstern

39 Herr Jesu Christ, dich zu uns wend'

40 Herr Jesu Christ, dich zu uns wend'

41 Gott der Vater wohn uns bei

42 Gott der Vater wohn uns bei

43 Ach Gott vom Himmel sieh darein

44 Ach Gott vom Himmel sieh darein

45 Wer nur den lieben Gott läßt walten

46 Wer nur den lieben Gott läßt walten

47 Nun danket alle Gott

48 Nun danket alle Gott

Druck: Telemanns fugirende und veraendernde Choraele, so wohl auf der Orgel als auf dem Claviere zu spielen, (Hamburg, Selbstverlag, 1735).
D-brd BNms, Bibl. Klein Ec 272.5; ITZ; **D-ddr** SWsk; **B** Bc, FA VI 62 (15884) (Titelblatt „XXIV Variirte Choräle" und S. 3–4 hs.); Br, 2030; **GB** Lbl, b 148; **PL** WRu.

Abschriften: D-brd B, Mus. ms. 21790 („Herrn G. Ph. Telemanns fugirende und veränderte Choräle"); **D-ddr** LEm, Ms. S 13; **B** Bc, U 14968; **PL** Wu, Mf 5148. – 31: 29, 30, 27, 28, 21: **D-ddr** Bds, Mus. Ms. 22541, Bd. III; 31: 5 und 6: **NL** DHgm, 4. G. 14.

Ausgaben: XXIV Variirte Choräle, in: L'Organiste Liturgique, Editions musicales de la Schola Cantorum et de la Procure Général de musique, Paris, H. 28, 32 und 36 (G. Litaize und J. Bonfils); in: G. Ph. Telemann, Orgelwerke, Bd. I, Kassel, BA 3581 (T. Fedtke) (26 Vorspiele transponiert, Reihenfolge alphabetisch nach Textanfängen); Forty-Eigth Chorale Preludes, New Haven, A–R Editions, 1965 (A. Thaler).
31: 1, 2, 4, 5, 7, 9, 13, 17, 21, 23, 27, 28 in: Zwölf leichte Choralvorspiele für Orgel manualiter oder Klavier, Leipzig und Frankfurt/Main, Peters, Ed. 4239 (H. Keller); 31: 13 in: Choralvorspiele für den gottesdienstlichen Gebrauch, Band II, Kassel, BA 5482 (A. Graf); 31: 21 in: Der Orgelfreund, Erfurt und Leipzig, Bd. VIII/5 Nr. 40 (G. W. Körner und A. G. Ritter) und (transponiert) in: Orgel-Archiv, Braunschweig, Litolff, Nr. 886, Bd. III Nr. 16 (W. Volckmar); 31: 27 in: Zur Geschichte des Orgelspiels, Leipzig, M. Hesse, 1884, Nr. 128 (A. G. Ritter); 31: 37 in: L'Organiste Liturgique, H. 2 (G. Litaize und J. Bonfils).

Anmerkungen: Noch nicht unter den Edenda des Katalogs F 1 (1733). In den Hamburgischen Berichten von neuen Gelehrten Sachen vom 17. 1. 1735 wird mitgeteilt, Telemann habe den Anfang gemacht, wöchentlich alle Donnerstage ein Choral-Lied für Orgel oder Clavier auf einem einzelnen Blatt herauszugeben. Vor dem 4. 8. 1735 wurde das Erscheinen aller 24 Choräle in der Hamburger Presse angezeigt (Katalog H). Im Katalog K 2 (21. 1. 1736) sind „24 fugirte und contrapunctirte Choräle" als 3. von 9 „in nicht gar langer Zeit ans Licht getretenen" Werken aufgeführt; das zweite ist 1734 datiert, das vierte 1735. Stets zählt Telemann „24" Choräle; jeder chorale Cantus firmus wird einmal von zwei imitierenden Gegenstimmen (fugirt, fugirend) und einmal von einer Gegenstimme (contrapunctirend, veraendernd) begleitet.
Eine umgearbeitete Fassung von 31: 8 ist in zwei Sammelhandschriften aus dem 19. Jh. überliefert. In **D-brd** B, Mus. ms. Bach P 285 wird sie J. S. Bach, in **D-brd** B, Mus. ms. Bach 1109 Telemann zugeschrieben (vgl. BWV Anh. 56).

31: 49 Choralvorspiel „Nun komm' der Heiden Heiland"

Abschrift: D-ddr Bds, Mus. ms. 22541, Bd. II, S. 12.

Ausgabe: in: G. Ph. Telemann, Orgelwerke, Bd. I, S. 102, Kassel, BA 3581 (T. Fedtke).

31: 50 Choralvorspiel „Befiehl du deine Wege"

Abschrift: **D-ddr** Bds, Mus. ms. 30289.

31: 51–52 Zwei Choralvorspiele „Nun freut euch, lieben Christen g'mein"

Abschrift: **NL** DHgm, 4.G.14, S. 165.

Ausgabe: in: G. Ph. Telemann, Orgelwerke, Bd. I, S. 104ff., Kassel, BA 3581 (T. Fedtke).

31: 53 Choralvorspiel „Ermuntre dich, mein schwacher Geist"

Abschrift: nicht nachgewiesen.

Ausgabe: in: 12 Orgelstücke aus verschiedenen Jahrhunderten, Orgelarchiv II/9, Leipzig (A. R. Friese).

31: 54 Choralvorspiel „Nun freut euch, lieben Christen g'mein"

Abschrift: nicht nachgewiesen.

Ausgabe: in: Orgelmusik für Unterricht, Kirche und Haus, Leipzig, Rieter-Biedermann, S. 42 (K. E. Hering).

32: Suiten

32: 1 Partia G-dur für Cembalo

Druck: in: Der getreue Music-Meister, Hamburg (Selbstverlag), 1728 (-29) (Nr. 3), Lektion 1–3, S. 3, 4, 7, 8, 12 (Gesamtinhalt und Fundorte s. u. S. 242ff.).

Abschriften: **D-ddr** Bds, Mus. ms. 30382 Nr. 14 (anon.); **F** Pn, Ms. 2669, S. 1 (ohne Preludio).

Ausgaben: Hortus musicus 9, S. 16 (D. Degen); in: Deutsche Klaviermusik des 17. und 18. Jh. Bd. I, Berlin, Vieweg, Nr. 2021 (H. Fischer und F. Oberdoerffer). – Aria in: Klaviermusik des 18. und 19. Jh., Leipzig und Zürich, Gebr. Hug und Co., 1934 (K. Hermann); Gigue à l'Angloise, Leipzig, Steingräber Nr. 2476 (K. Hermann) und in: Leichte Klaviermusik aus alter Zeit, Berlin, Birnbach, 1954 (W. Frickert); Aria in: Air und Bourée für Blockflöte und Gitarre, Wilhelmshaven, Noetzel, Ed. 3175 (S. Behrend); Gigue in: Heiterer Barock, für Sopran- und Altblockflöte, Zürich, Zum Pelikan, PE 758 (J. Rüegg).

Anmerkungen: Die drei ersten Lektionen von Der getreue Music-Meister, auf die sich die Partia verteilte, sind noch 1728 erschienen.

32: 2 Ouverture à la Polonoise d-moll für Clavessin

Druck: in: Der getreue Music-Meister, Hamburg, (Selbstverlag), 1728 (-29), (Nr. 55), Lektion 18–22, S. 72, 75, 79, 83, 88 (Gesamtinhalt und Fundorte s. u. S. 242 ff.).

Abschriften: D-brd DS, Mus. 1036/1; **F** Pn, Ms. 2669, S. 13 (anon.).

Ausgaben: Hortus musicus 9, S. 29 (D. Degen). – Bourrée in: Klaviermusik des 18. und 19. Jh., Leipzig und Zürich, Gebr. Hug und Co., 1934 (K. Hermann); Bourrée in: Air und Bourée für Blockflöte und Gitarre, Wilhelmshaven, Noetzel, Ed. 3175 (S. Behrend).

Anmerkungen: Die Lektionen 18–22 sind 1729 erschienen.

32: 3 Solo C-dur für Cembalo

Druck: (Nr. 11) in: Essercizii Musici overo Dodeci Soli e Dodeci Trii à diversi stromenti, Hamburg, Selbstverlag, (1739/40), enthaltend

(1)	Solo 1 für Violine und Bc.	= 41 : F 4
(2)	Trio 1 für Flauto dolce, Oboe und Bc.	= 42 : c 2
(3)	Solo 2 für Flauto trav. und Bc.	= 41 : D 9
(4)	Trio 2 für Viola di Gamba, Cembalo obligato und Bc.	= 42 : G 6
(5)	Solo 3 für Viola di Gamba und Bc.	= 41 : a 6
(6)	Trio 3 für Violino, Oboe und Bc.	= 42 : g 5
(7)	Solo 4 für Flauto dolce und Bc.	= 41 : d 4
(8)	Trio 4 für Flauto trav., Cembalo concertato und Bc.	= 42 : A 6
(9)	Solo 5 für Oboe und Bc.	= 41 : B 6
(10)	Trio 5 für Flauto dolce, Violino und Bc.	= 42 : a 4
(11)	Solo 6 für Cembalo	= 32 : 3
(12)	Trio 6 für Flauto trav., Viola di Gamba und Bc.	= 42 : h 4
(13)	Solo 7 für Violino und Bc.	= 41 : A 6
(14)	Trio 7 für Flauto dolce, Viola di Gamba und Bc.	= 42 : F 3
(15)	Solo 8 für Flauto trav. und Bc.	= 41 : G 9
(16)	Trio 8 für Flauto dolce, Cembalo obligato und Bc.	= 42 : B 4
(17)	Solo 9 für Viola di Gamba und Bc.	= 41 : e 5
(18)	Trio 9 für Flauto trav., Violino und Bc.	= 42 : E 4
(19)	Solo 10 für Flauto dolce und Bc.	= 41 : C 5
(20)	Trio 10 für Violino, Viola di Gamba und Bc.	= 42 : D 9
(21)	Solo 11 für Oboe und Bc.	= 41 : e 6
(22)	Trio 11 für Flauto trav., Oboe und Bc.	= 42 : d 4
(23)	Solo 12 für Cembalo	= 32 : 4
(24)	Trio 12 für Oboe, Cembalo obligato und Bc.	= 42 : Es 3

D-ddr Bds, Mus. 13086 Rara; **B** Bc, V 7115; **US** Wc, M 320.A2.T26.

Vollständige **Abschrift: D-brd** B, Mus. ms. 21785.

Anmerkungen: In der Autobiographie 1739 erscheinen die Essercizii Musici noch nicht unter den Druckpublikationen. Telemann hat sie aber im Selbstverlag herausgebracht. Am 17. 10. 1740 bot er im Hamburgischen Correspondenten die Platten seiner 44 gestochenen Werke zum Verkauf an und erklärte das Ende seiner Verlegertätigkeit. Da bis 1739 nur 43 Stiche bekannt sind, muß es sich bei den Essercizii Musici um das 44. Werk handeln. Es muß demnach 1739 oder 1740 erschienen sein.

Zu 32: 3

Abschrift: D-brd DS, Mus. 1040 (1).

Ausgabe: in: Soli für Cembalo oder andere Tasteninstrumente, Mainz, Ed. Schott 5296 (H. Ruf).

32: 4 Solo F-dur für Cembalo

Druck: (Nr. 23) in: Essercizii Musici, Hamburg, (Selbstverlag, 1739/40); s. 32: 3.

Abschrift: D-brd DS, Mus. 1040 (2).

Ausgaben: in: Deutsche Klaviermusik des 17. und 18. Jh., Bd. III, Berlin, Vieweg, Nr. 2023 (H. Fischer und F. Oberdoerffer); in: Soli für Cembalo oder andere Tasteninstrumente, Mainz, Ed. Schott 5296 (H. Ruf); Gavotte und Passepied in: Aus der Zeit um Bach, Leichte Spielstücke für 2 Blockflöten, Kulmbach, G. Bratfisch (H. Fischer); Gavotte in: Die Sologitarre, Heft 1, Frankfurt/Main, Zimmermann, 1965 (S. Behrend); Gavotte für Klarinette und Klavier, in: Klassische Vortragsstücke für Klarinette in B und Klavier, Mainz, Schott, Ed. 4716 (W. Schneider, Bearbeitung); Mittelteil der Gavotte in: Aus der Blütezeit des Barock, Mainz, Schott, Ed. 4369 (W. Hillemann) und in: Alte Musizierstücke für Sopran- und Altflöte, Mainz, Schott, Ed. 4804 (J. Runge).

32: 5–10 6 Ouvertüren mit zwei Folgesätzen

5

6

7
Ouverture
(T. 17)
(16T. c + 41T. 6/4 + 12T. c)
Dolce e scherzando
(20T.)
(60T. + 40T. da capo)

8
Ouverture
(T.15)
(14T. c + 53T.(¢) + 8T. c)
Moderato e scherzando
(18 T.)
Allegro
(78 T.)

Piacevole
(22T.;
Allegro da capo)

9
Ouverture
(T.17)
(16T.C + 55T.3/4 + 12T. C)
Suave e scherzando
(32T.)
Vivace
(44T.)

10
Ouverture
(T.15)
(14 T. C + 28 T. ¢ + 10 T. C)
Pastorello, tempo giusto
(52 T.)

Druck: VI Ouverturen nebst zween Folgesätzen bey jedweder, Französisch, Polnisch oder sonst tändelnd und Welsch, fürs Clavier, Nürnberg, B. Schmid (nicht nach 1749).

D-brd Mbs, 2° Mus. pr. 1156; **D-ddr** Dl, Mus. 2392 T 1; **S** Skma, Alströmers saml. B 2:89; **H** Bn, Z 41684.

Ausgaben: in: Deutsche Klaviermusik des 17. und 18. Jh., Bd. IV und V, Berlin, Vieweg, Nr. 2024–25 (H. Fischer und F. Oberdoerffer); Sechs Ouvertüren für Klavier (Cembalo), Wolfenbüttel und Zürich, Möseler, 1965 (A. Hoffmann); Sechs Ouvertüren für Cembalo, Mainz, Schott, Ed. 5774 (H. Ruf); Sechs Ouvertüren für Klavier, Leipzig und Frankfurt/Main, Peters, Ed. 9107 (E. Franke).

Anmerkungen: K. Schäfer-Schmuck datiert „um 1745". 1740 hatte Telemann seine eigene Verlegertätigkeit eingestellt; 1749 ist B. Schmid gestorben. Schmid hat von Telemann außerdem 1744 den Kantatenjahrgang „Musicalisches Lob Gottes" und die Johannespassion aus dem Jahre 1745 herausgebracht, abgesehen von dem gedruckten Lebenslauf und einem Portrait. Vgl. H. Heussner, Der Musikdrucker Balthasar Schmid in Nürnberg, Mf. 1963, S. 348–362.

32: 11 Ouvertüre C-dur

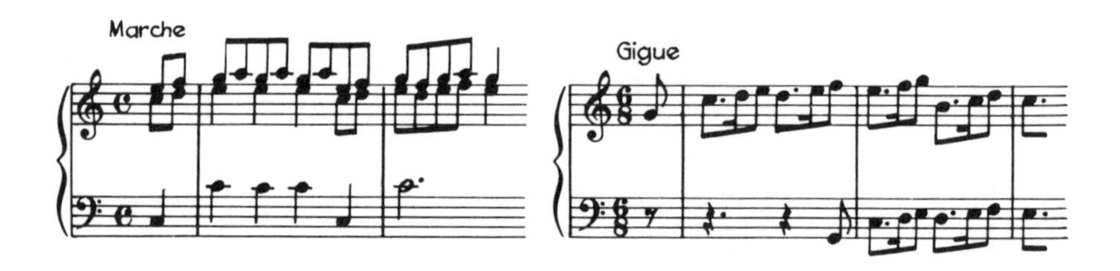

Abschrift: **D-brd** DS, Mus. 1231, Nr. 11.

32: 12 Ouvertüre a-moll

Abschriften: D-brd DS, Mus. 1231, Nr. 12; **D-brd** B, Mus. ms. 21790/20 (datiert 1719).

Ausgaben: Gavotte, Loure und Menuett 1 und 2 in: Der Kreis um Telemann. Klassische Stücke berühmter Zeitgenossen Bachs, Leipzig und Frankfurt/Main, Peters, Nr. 4305 (M. Frey); Bearbeitung des 1. Satzes in: H. Riemann, Musikgeschichte in Beispielen, Leipzig, 1912, Nr. 129; Loure in: Solobuch für Altblockflöte, Mainz, Schott, Ed. 5241 (J. Runge); Bourrée in: Aus der Zeit des Galanten, Leipzig, Rahter, 1935 (M. Frey).

32: 13 Ouvertüre G-dur

Abschriften: D-brd DS, Mus. 1231, Nr. 13; **D-brd** B, Mus. ms. Bach P 801, S. 463–474; Courante in: **D-ddr** GERsb, Notenbuch der Zeumerin (als „Courante di Bach").

Ausgaben: Courante in: H. Kretzschmar, Das Notenbuch der Zeumerin, JbP 1909, S. 72; in: Das kleine Notenbuch II. Das Zeitalter J. S. Bachs, Leipzig und Frankfurt/Main, Peters, Ed. 4452 (K. Hermann); Aria in: Der Kreis um Telemann. Klassische Stücke berühmter Zeitgenossen Bachs, Leipzig und Frankfurt/Main, Peters, Ed. 4305 (M. Frey); Menuet in: Aus der Zeit des Galanten, Leipzig, Rahter, 1935 (M. Frey); in: Le Piano Classique, Vol. A Nr. 25 und in: Le Nouveau Violon Classique, Vol. C Nr. 21 und in: La Flûte Classique, Vol. I Nr. 21, Paris, M. Combre (H. Classens); in: Solobuch für Altblockflöte, Mainz, Schott, Ed. 5241 (J. Runge); Menuet A-dur für Gitarre, Bruxelles, Schott Frères, S. F. 9140 = Edition Alfonso Nr. 7 (N. Alfonso).

32: 14 Suite A-dur

Abschrift: D-brd DS, Mus. 1231, Nr. 14; **D-ddr** Dl, Mus. 2405 T. 66; ferner in: J. S. Bach, Notenbuch für W. Friedemann Bach; Fundorte s. Kritischer Bericht zu Band V/5 der Neuen Bach-Ausgabe (W. Plath).

Ausgaben: J. S. Bach Gesamtausgabe Bd. 36, S. 231; Neue Bach-Ausgabe Bd. V/5, S. 78 (W. Plath); ferner Kassel, BA 140 (H. Keller); Leipzig, Breitkopf & Härtel, EB 4323 (Petri); Leipzig, Peters, Nr. 1959 (M. Seiffert); Leipzig, Steingräber, Nr. 117a (Bischoff).

Anmerkungen: Zuschreibung an Telemann zuerst bei W. Danckert in ZfMw VII, S. 305, s. ferner K. Schäfer-Schmuck., S. 46ff., und W. Plath im Kritischen Bericht zu Band V/5 der Neuen Bach-Ausgabe.

32: 15 Ouvertüre A-dur

Abschrift: **D-ddr** Bds, Mus. ms. Bach P 801, S. 275–287.

Ausgaben: in: Unbekannte Meisterwerke der Klaviermusik, Kassel, BA 296 (W. Danckert); Rigaudon 1 und 2 in: Der Kreis um Telemann. Klassische Stücke berühmter Zeitgenossen Bachs, Leipzig und Frankfurt/Main, Ed. Peters, Nr. 4305 (M. Frey).

32: 16 Ouvertüre A-dur

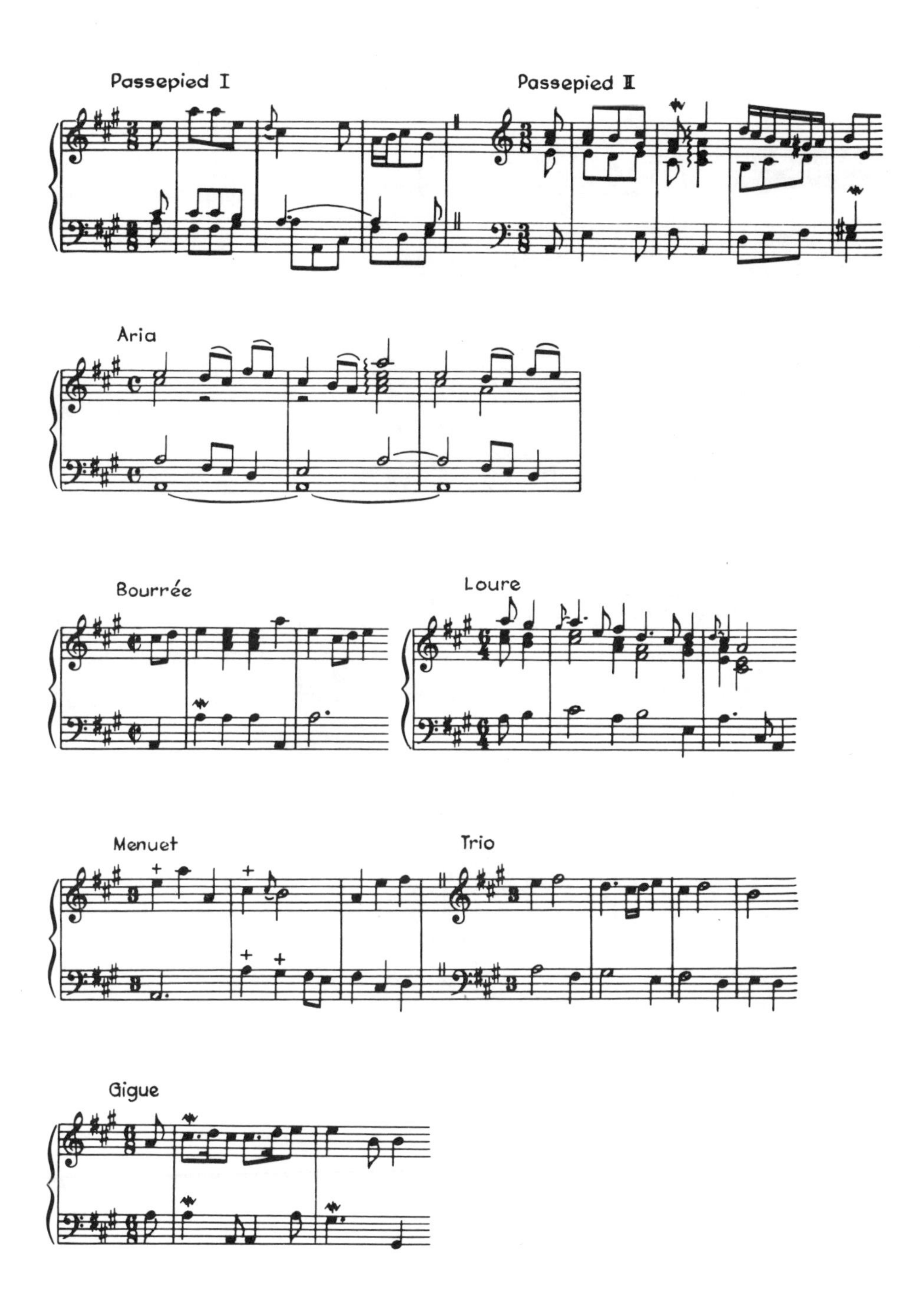

Abschrift: D-ddr Bds, Mus. ms. Bach P 801, S. 317–323 (letzter Satz fragmentarisch).

Ausgaben: Ouvertüre, Passepied 1 und 2, Aria, Bourrée und Menuet in: Im Schatten von Bach, Leipzig, Steingräber, 1937 (M. Frey); Passepied in: Das kleine Klavierbuch II. Das Zeitalter J. S. Bachs, Leipzig und Frankfurt/Main, Peters, Ed. 4452 (K. Hermann); in: Solobuch für Altblockflöte, Mainz, Schott, Ed. 5241 (J. Runge); Bourrée in: Der Kreis um Telemann. Klassische Stücke berühmter Zeitgenossen Bachs, Leipzig und Frankfurt/Main, Peters, Ed. 4305 (M. Frey); Menuet in: Aus Barock und Rokoko, Spielstücke für 3 Altblockflöten, Mainz, Schott, Ed. 5298 (J. Runge).

32: 17 Suite C-dur

Abschrift: D-brd B, Mus. BP 704 (Sammlung Pretlack).

32: 18 Partie A-dur

Allemande

Sarabande

Bourrée

Gigue

Abschriften: **B** Br, 2960; Allemande und Air in: **D-brd** B, Mus. ms. 40644, 68v–69r.

Ausgabe: Bach-GA, Bd. 42, S. 255.

Anmerkungen: Schon bei der Veröffentlichung in der Alten Bach-Ausgabe wurde das Werk zu den zweifelhaften Kompositionen Bachs gezählt. W. Schmieder führt es unter BWV 832, zweifelt aber die Echtheit an. W. Danckert behauptet in seiner Geschichte der Gigue, Leipzig 1924, S. 122: „Die Partita in A-dur (GA Bd. 42, S. 255ff.) stammt von Telemann; der Verfasser gedenkt darüber noch an anderer Stelle zu berichten". In Beiträge zur Bach-Kritik, Kassel 1934, S. 29–32, trägt er jedoch nur die Stilmerkmale zusammen, die gegen Bach sprechen; zur Gestaltungsweise der Gigue stellt er fest: „Eher fände man bei Kuhnau oder Telemann Parallelen". K. Schäfer-Schmuck führt die Suite nicht im thematischen Verzeichnis. Sie stellt (S. 50) ein endgültiges Urteil zurück bis zu Danckerts angekündigten weiteren Ausführungen, weist aber schon auf einige Argumente hin, „auf Grund derer Telemanns Autorschaft angenommen werden kann". Zu zahlreichen Stellen werden Parallelen in anderen Werken Telemanns nachgewiesen.

Anh. 32: Kleine Cammer-Music, bestehend aus VI Partien

(für 1 Instrument und Gb.), Frankfurt/Main, Selbstverlag, 1716, ^{2}/ als La Petite Musique de Chambre, (Hamburg, Selbstverlag, 1728)
= 41: c 1
sieht auch alternative Besetzung für Klavier vor. In der Abschrift **D-ddr** SWl, 5401 lautet der Außentitel: „Partitur-Solo für Cembalo oder Clavicordium. Auch für eine Violin oder eine Flauto-Traversiere, oder eine Hautbois, und Violoncello".

Anh. 32: 1 Ouvertüre Es-dur

= Klavierbearbeitung der Orchestersuite 55: Es 4 (s. dort Incipits und die Fundorte der Orchesterfassung)

Abschrift der Klavierfassung: **D-ddr**, LEm, III. 8. 4 (Andreas-Bach-Buch, Nr. 12).

Ausgaben: Bourrée 1 und 2 in: Deutsche Klaviermusik des Barock, Stuttgart und Berlin, Edition Cotta, Nr. 909 (R. Bellardi); Bourrée 1, transponiert nach A-dur, bearbeitet für Gitarre, Bruxelles, Schott Frères, S. F. 9136 = Edition Alfonso Nr. 8 (N. Alfonso).

Anmerkungen: Der ungewöhnliche Klaviersatz spricht dafür, daß die Orchesterfassung die originale ist.

Anh. 32: 2 Rigaudon a-moll und Passepied A-dur

= Klavierbearbeitung nach Orchestersuite 55: a 1

Ausgabe: in: Rococo. Gavotten, Rigaudons, Bourrées, Passepieds, Menuets und Sarabande berühmter Zeitgenossen J. S. Bachs, Leipzig, Breitkopf & Härtel, Klav. Bibl. 22693 (H. Riemann).

Anh. 32: 3 Partita B-dur von Christian Pezold

Anmerkungen: H. Graeser (A 16) schreibt die Partita Telemann zu, da sie in der Handschrift **D-brd** DS, Mus. 1036, die die Überschrift trägt „Ouverture del Sign. Telemann", als zweites Stück nach Telemanns Ouvertüre à la Polonoise (32: 2) erscheint. Ebenso wie die Ouverture à la Polonoise ist die Partita B-dur von Telemann im Getreuen Music-Meister veröffentlicht worden (als Nr. 60; s. u. S. 245), aber als Komposition von C. Pezold. Sie fehlt in Graesers Übersicht über die im Getreuen Music-Meister veröffentlichten Kompositionen.
Die Darmstädter Handschrift enthält nur Allemande, Courante und 48 Takte des Menuet en Rondeau. Vollständige Neuausgabe der Partita in: Hortus Musicus 9 (D. Degen).

33: Fantasien, Sonaten, Concerti

33: 1–36 Drei Dutzend Klavierfantasien

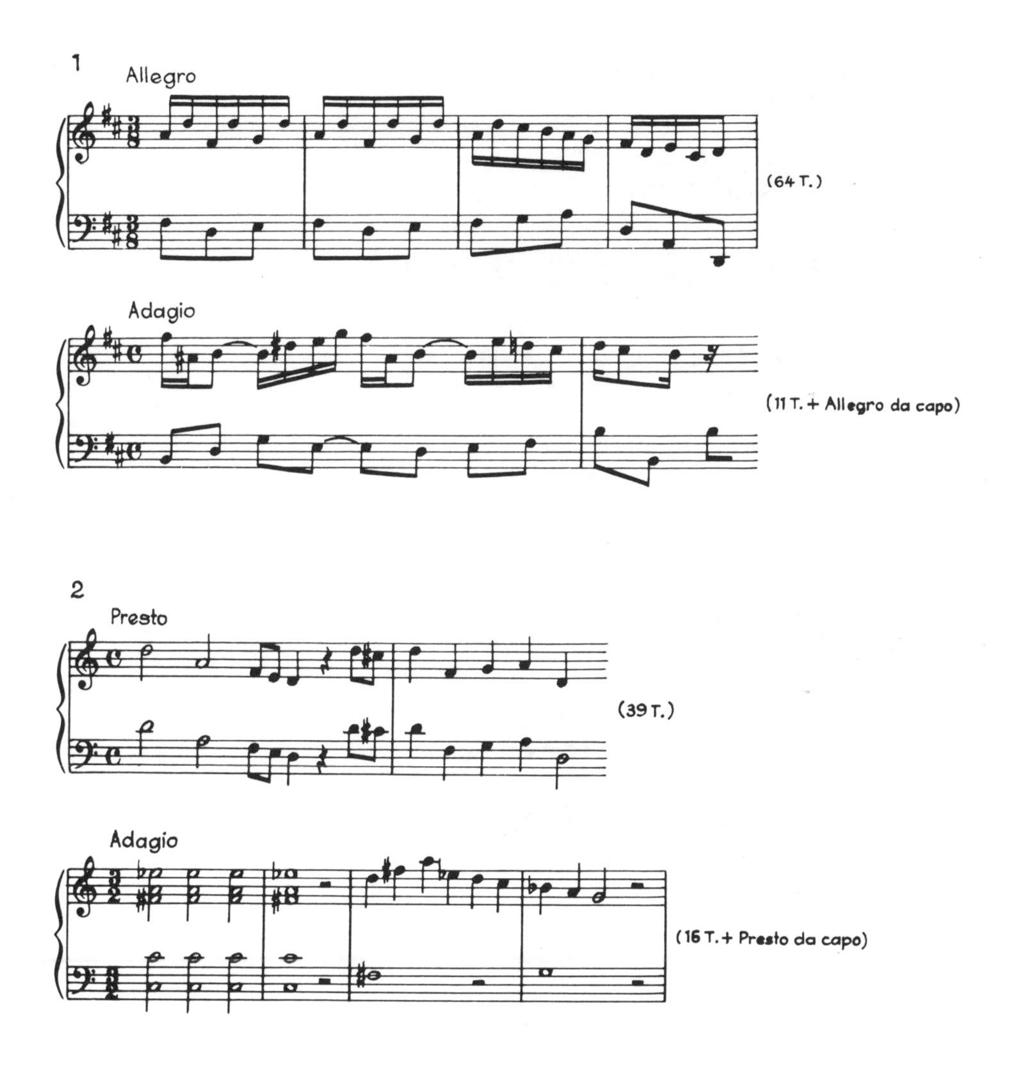

Largo
(20T. + Vivace da capo)
4
Allegro
(22 T.)
Dolce
(16 T.+ Allegro da capo)
5
Vivace
(42 T.)
Largo
(11T.+ Vivace da capo)
6
Tempo di Minuetto
(84T.)
Largo
(18 T. + Tempo di Minuetto da capo)

7
Presto
(82 T.)
Largo
(15 T. + Presto da capo)
8
Vivace
(54 T.)
Cantabile
(24 T. + Vivace da capo)
9
Allegro
(50 T.)
Grave
(8 T. + Allegro da capo)
10
Allegro
(72 T.)

Largo
(6 T. + Allegro da capo)
11
Allegro
(63 T.)
Largo
(12 T. + Allegro da capo)
12
Vivace
(34 T.)
Largo
(14 T. + Vivace da capo)
13
Tendrement
(28 T.)
Vivement
(82 T. + Tendrement da capo)

Tres vîte
(12 T.)
14
Gravement
(50 T.)
Gayment
(44 T. + dreimal 8 T. da capo
+ Gravement da capo)
Allegrement
(12 T.)
15
Pompeusement
(13 T.)
Allegrement
(38 T. + Pompeusement da capo)
Gayment
(12 T.)

16
Gratieusement
(38 T.)
Vivement
(46 T. + zweimal 16 T. da capo + Gratieusement da capo)
Vite
(12 T.)
17
Melodieusement
(36 T.)
Spirituellement
(64 T. + Melodieusement da capo)
Vite
(12 T.)
18
Tendrement
(42 T. + 16 T. da capo)

Gayment
(72 T + 18 T. da capo + Tendrement da capo)
Vite
(12 T.+ 4 T. da capo)
19
Lentement
(27 T.)
Allegrement
(60 T. + Lentement da capo)
Vivement
(12 T.)
20
Gratieusement
(28 T. + 10 T. da capo)
Vite
(48 T. + 12 T. da capo
+ Gratieusement da capo)

Gayment
(9 T.)
21
Flateusement
+
(28 T.)
Vivement
(28 T. + Flateusement da capo)
Très vite
(14 T.)
22
Moderement
+
+
(32 T.)
Vivement
(48 T. + zweimal 16 T. da capo + Moderement da capo)
Gayment
(12 T.)

23
Pompeusement
(30 T.)
Allegrement
(30 T. + Pompeusement da capo)
Vite
(10 T.)
24
Gratieusement
(22 T.)
Gaillardement
(32 T. + 8 T. da capo
+ Gratieusement da capo)
Vitement
(22 T.)
25
Vivace
(28 T.)

Tempo giusto
(34 T. + 12 T. da capo + Vivace da capo)

26
Vivace
(56 T.)
Largo
(22 T. + 8 T. da capo
+ Vivace da capo)

27
Tempo giusto
(52 T.)
Presto
(24 T. + Tempo giusto da capo)

28
Vivace
(52 T.)
Dolce
(24 T. + Vivace da capo)

29
Allegro
(38 T.)
Soave
(20 T. + Allegro da capo)
30
Gratioso
(24 T.)
Vivace
(42 T. + Gratioso da capo)
31
Presto
(60 T.)
Arioso
(12 T. + Presto da capo)
32 Vivace
(34 T.)

Minue
(24 T. + Vivace da capo)
33
Allegro
(42 T.)
Con pompa
(8 T. + Allegro da capo)
34
Allegro
(36 T.)
Dolce
(10 T. + Allegro da capo)
35
Vivace
(36 T.)
Moderato
(10 T. + Vivace da capo)

Druck: Fantaisies pour le clavessin, 3. douzaines, (Hamburg, Selbstverlag, 1732–33).
D-ddr B, Mus. 15890 (1945 verlagert) und Fragment 33: 14–24, Mus. 15844; **GB** Lbl, Hirsch III. 538; **DK** Kk, mu 6510.0531 und mu 6802.0131.
33: 14,2 gedruckt in Unterhaltungen V, Hamburg, 1766, S. 144.

Abschriften: Amusements pour Madame Pigou, Femme de Monsieur Pigou, Conseiller de Grande Chambre du parlement de Normandie, Fantaisies pour le Clavessin, **B** Bc, U 26635 (kein Autograph); 33: 6 und 4 **D-ddr** B, Mus. ms. 30382, Nr. 12 und 13; 33: 14,2 **S** Uu, Z 200, p. 40a; 33: 25,1 in: L. Mozart's Notenbuch (Original verschollen; s. unter Ausgaben).

Ausgaben: Drei Dutzend Klavier-Fantasien, Berlin, M. Breslauer, 1923 = Veröffentlichungen der Musikbibliothek Paul Hirsch, Bd. IV, ^{3}/Kassel, 1935, ^{4}/Kassel, 1955, BA 733 (M. Seiffert).
Einzelne Fantasien, Ausgaben für Klavier:
33: 1, 2, 3, 5, 7, 8, 12, 13, 15, 20, 21, 36 in: Zwölf Fantasien, Leipzig und Frankfurt/Main, Peters, Ed. 4681 (H. Keller); 33: 1, 2, 4,2; 7,2; 12,2; 14,2; 16,3; 19,3; 21,2; 21,3; 22,3; 25,1; 27,2; 28,2; 29,2; 31,2; 32,2; 34,2; 36,2 in: Klavierbüchlein für Unterricht und Haus, Halle, Mitteldeutscher Verlag, 1952 sowie Leipzig und Frankfurt/Main, Peters, Ed. 5608 (W. Frickert); 33: 1 bis 5, 8, 9 in: Le Trésor des Pianistes, Bd. IX, Paris, 1872 (L. Farrenc); 33: 1, 2, 4, 5, 8, 9, 12 in: Kleine Fantasien für Klavier (Cembalo), Mainz, Schott, Ed. 2330 (E. Doflein); 33: 1 in: Alte Hausmusik für Klavier, Heft 1, Mainz, Schott, Ed. 2347 (W. Rehberg); 33: 1,1 in: Aus dem Barock, Magdeburg, Heinrichshofen, 1941 und Leipzig, Pro Musica Verlag, Klassikerausgaben Nr. 15 (L. Beer); 33: 1 in: Les Maîtres du Clavecin, Bd. 1, S. 32, Paris, H. Lemoine & Cie., Edition Nationale Française (Ch. René); 33: 2 und 8 in: Neues Sonatinenbuch, Bd. II, Mainz, Schott, Ed. 2512 (M. Frey); 33: 7,2 in: Tanzkunterbunt, Eine Folge von Originaltänzen für Klavier, Leipzig, Steingräber, Nr. 2476 (K. Hermann); 33: 14 in: Die Fantasie I, Das Musikwerk, hrsg. v. K. G. Fellerer, Köln, 1971, S. 90 (P. Schleuning); 33: 18,3; 25 und 28,2 in: Die Sammlung, Alte und neue Klavierstücke, Halle, Mitteldeutscher Verlag, K 646; 33: 21,3 und 22,3 in: Zwei kleine Stücke für Klavier, Vorstufe zum neuen Sonatinenbuch, Mainz, Schott, Ed. 2891 (M. Frey); 33: 25,1 in: Leopold Mozart's Notenbuch, Leipzig, Kistner, Ed. 114, S. 29 (H. Abert; zum Notenbuch vgl. W. Plath in: Mozart-Jb. 1971/72, S. 337ff.); 33: 25, 28,2 und 35,2 in: Meister des musikalischen Barock, Leipzig, Steingräber, 1937 (M. Frey); 33: 27,2 und 36,2 in: Musizierfibel fürs Klavier, Leipzig, Steingräber, Ed. 2725, 1944 (K. Hermann); 6 Fantasien in: Sechs Fantasien und 6 Fugen für Klavier, Leipzig, VEB Breitkopf & Härtel, Ed. 4116, 1965 (W. Tell); Bearbeitungen für Orgel: 33: 3, 8, 9, 26, 34 in: 5 Fantasien voor Orgel, Amsterdam, Heuwekemeijer, E. H. 388, 1946 (J. van Amelsvoort); 33: 3,2, transponiert nach c-moll, Largo, in: Orgelschule Bd. I, Mainz, Schott, Ed. 2555a (Kaller).
Ausgaben für 2 Flöten (meist transponiert): 33: 3,2, 14,3, 15,3, 16,3, 17,3, 21,3, 20,2, 23,3, 27,2, 28,2, 32,2, 36,2 in: Kleine Stücke und Menuette für 2 Blockflöten im Quintabstand, Mainz, Schott, Ed. 2743 = Schott's kleine Blockflötenhefte 43; 33: 1,2, 7,2, 16,3, 22,3, 23,3, 25,1, 27,2, 28,2 in: Twelve short Duets for Descant and Treble Recorder, London, Schott & Co. Ltd., Ed. 10024 (E. H. Hunt); 33: 16,2, 17,3, 18,1, 18,2, 21,3, 24,3, 28,2, 36,2 in: Elf Stücke für Sopran- und Altblockflöte, Celle, Moeck, Zeitschrift für Spielmusik H. 38, 1942 (E. Hagemann); 33: 6,2 und 20,1 Largo und Gratieusement in: Haus- und Kammermusik des deutschen Barock, für Sopran- und Altblockflöte mit Klavier, Mainz, Schott, Ed. 4363

(W. Hillemann); 33: 18,3, 22,3, 33,2 in: Kleine Stücke für 2 Blockflöten im Quintabstand oder andere Instrumente, Kassel, BA 865 (A. Hoffmann); 33: 17,3 in: Aus der Blütezeit des Barock, für 2 Altflöten, Mainz, Schott, Ed. 4369 (W. Hillemann); 33: 17,3 in: Heiterer Barock, für Sopran- und Altblockflöte, Zürich, Zum Pelikan, PE 758 (J. Rüegg); 33: 17,3 Allegro in: Baroque Dances and Airs for two Soprano recorders, Toronto, BMI Canada Limited (R. Napier); 33: 20,2 Vite in: Kleine Duette alter Meister, Mainz, Schott, Ed. 4373 (H. Kaestner); 10 Stücke aus Fantaisies pour le clavecin für 2 Blockflöten, Wilhelmshaven, Noetzel, Ed. 3114, 1959 (A. v. Arx); für Flöte und Klavier: 33: 17,3 Vite in: Leichte Spielstücke für Sopranflöte und Klavier, Mainz, Schott, Ed. 4364 (H. Kaestner).
für 2 Violinen: 33: 8,2, 14,1, 15,3, 17,3, 19,2, 20,2, 22, 27,2, 28,2, 31,1 in: Kleine Stücke für 2 Violinen, Mainz, Schott, Ed. 4130 (A. Hoffmann).
für Gitarre: 33: 15,3 Gayment in: Zweistimmiges Gitarrenspiel, Mainz, Schott, Ed. 5127 (J. Rentmeister).
33: 3,2 = Thema in: Eberhard Wenzel, Variationen, Fuge und Epilog (Chaconne) über ein Thema von G. Ph. Telemann
33: 35,1 s. Anh. 41: D 1

Anmerkungen: Im Hamburgischen Correspondenten vom 26. 11. 1732 wurde angezeigt, daß die beiden ersten Dutzende der Klavierfantasien erschienen seien. Am 28. 10. 1733 meldeten die Hamburgischen Berichte von neuen Gelehrten Sachen, auch das dritte Dutzend sei zu bekommen. Katalog F 1 (1733) führt 3 Douzaines des Fantaisies pour le Clavessin unter den erschienenen Werken. Wie schon die Tonartendisposition erkennen läßt, gehörten je 2 Fantasien zusammen. Telemann hat ausdrücklich gefordert, daß nach jeder zweiten (also jeder geradzahligen) Fantasie die vorangegangene wiederholt werden soll.

33: 37 Sonate für Cembalo e-moll

Abschrift: D-brd B, Mus. BP 677 (Sammlung Pretlack): Sonata à Cembalo Solo del Sigr. Telemann ex clav. E dur et E moll, Dst. 1744 Decembr. L. C. C. Z. E. (vgl. J. Jaenecke, Die Musikbibliothek des Ludwig Freiherrn von Pretlack [1716–1781], Neue musikgeschichtliche Forschungen, hrsg. v. L. Hoffmann-Erbrecht, Bd. 8, Wiesbaden 1973).

Anh. 33:

Neue Sonatinen für 1 Melodieinstrument und Gb.

(Hamburg, Selbstverlag, 1730/31)
auch für Klavier allein
s. 41: c 2

6 Sonaten im Kanon für 2 Querflöten oder Violinen oder Gamben ohne Gb.

in einigen Handschriften im Titel fälschlich als Klavierwerke ausgegeben
s. 40: 118–123

Anh. 33: 1 Konzert h-moll für Klavier

Abschrift: **D-brd** B, Mus. ms. Bach P 801, S. 325–331.

Ausgabe: in: Unbekannte Meisterwerke der Klaviermusik von Händel, Telemann und Ph. E. Bach, Kassel, BA 296 (W. Danckert).

Anmerkung: W. Danckert im Vorwort der Ausgabe: „Telemanns Concerto gibt sich als die getreue, geistvolle Übertragung eines Violinkonzerts (mit begleitendem Orchester) nach italienischer Art auf das Cembalo". Die Vorlage ist nicht bekannt.

Anh. 33: 2 Konzert c-moll

bearbeitet für Orgel von J. G. Walther

Abschriften: **D-ddr** Bds, Mus. ms. 22541, Bd. IV, S. 83; **US** NH, Ms. 4794.

Ausgaben: DDT 26/27, S. 336–342 (M. Seiffert); in: J. G. Walther, Ausgewählte Orgelwerke, Bd. III, S. 82, Wiesbaden, Breitkopf, Ed. 6508c (H. Lohmann).

Anmerkung: Vorlage nicht bekannt.

Anh. 33: 3 Fantasia D-dur für Orgel

Abschrift: **D-brd** B, Mus. ms. 21790 (anon., anschließend an 31: 1–48).

Ausgabe: in: G. Ph. Telemann, Orgelwerke, Bd. II, S. 62–67 = Anhang (T. Fedtke).

Anmerkung: In der Berliner Handschrift von anderer Hand eingetragen als die Telemann zugeschriebenen Choralvorspiele. Nach dem Stil kein Werk Telemanns.

Anh. 33: 4 Triosonate D-dur für Orgel

Abschrift: Sonata a 2 Clavier con Pedal di Telemann, **D-ddr** LEm, Ms. 3.

Ausgabe: in: G. Ph. Telemann, Orgelwerke, Bd. II, S. 44–55 (T. Fedtke).
= Bearbeitung der Triosonate 42: E 4 (s. 32: 3)

Anh. 33: 5 Triosonate D-dur für Orgel

Abschrift: Trio ex d a 2 Clavier et Pedal, **D-ddr** LEm, Ms. 1 (anon.).
= Bearbeitung der Triosonate 42: D 1 aus: Six Trio, Frankfurt/Main, Selbstverlag, 1718

34: Menuett-Sammlungen

34: 1–50 Sieben mal Sieben und ein Menuett

7
(36 T.)
8
(40 T.)
9
(40 T.)
10
(40 T.)
11
(24 T.)
12
(36 T.)
13
(36 T.)

14
(32 T.)
15
(36 T.)
16
(28 T.)
17
(40 T.)
18
(32 T.)
19
(24 T.)
20
(32 T.)

21
(24 T.)
22
(32 T.)
23
(28 T.)
24
(36 T.)
25
(36 T.)
26
(24 T.)
27
(40 T.)

28
(24 T.)
29
(28 T.)
30
(32 T.)
31
(24 T.)
32
(28 T.)
33
(36 T.)
34
(24 T.)

35
(24 T.)
36
(28 T.)
37
(32 T.)
38
(24 T.)
39
(36 T.)
40
(32 T.)

41
(24 T.)

42
(24 T.)

43
(28 T.)

44
(38 T.)

45
(24 T.)

46
(32 T.)

Druck: Sept fois Sept et un Menuet; Sieben mal Sieben und ein Menuet, von Melante, Hamburg, (Selbstverlag), 1728.
D-ddr Bds, Mus. 0.10612 Rara; **NL** DHgm, 21 E 26a; bis 1945 ferner UB Königsberg, 22634.

Abschrift: 34: 3, 8, 10, 14, 16, 23, 29, 38, 41 und 47 in Leopold Mozart's Notenbuch (Original verschollen; NA hrsg. v. H. Abert, Leipzig, Kistner & Siegel, Ed. 114).

Ausgaben: Sieben mal sieben und ein Menuett, Wolfenbüttel, Georg Kallmeyer, 1930 (I. Amster), Wolfenbüttel, Möseler, M 18.017 (I. Eisenstadt-Amster); 10 Menuette (s. o.) in: Leopold Mozart's Notenbuch, Leipzig, Kistner & Siegel, Ed. 114 (H. Abert); 34: 2, 3, 8, 46, 49 in: Klavierbüchlein für Unterricht und Haus, Halle, Mitteldeutscher Verlag sowie Leipzig und Frankfurt/Main, Peters, Ed. 5608 (W. Frickert); 34: 5 in: Musikalische Formen in historischen Reihen, Erster Band: Das Menuett, S. 16, Berlin-Lichterfelde, Vieweg (H. Martens).
Ausgaben für ein Melodieinstrument und Gb.: 34: 2 (G), 4 (F), 38 (d) in: Ausgewählte Menuette für eine Blockflöte (Geige, Querflöte, Gambe) und Klavier, Kassel, BA 977 (für Sopranblockflöte) und 978 (für Altblockflöte) (W. Woehl); 34: 1, 2, 3, 5, 6, 8 in: Sechs Menuette für Violine (Fl., Ob.) und Gb., Mainz, Schott, Ed. 5486 = VLB 38 (F. F. Polnauer); 34: 2 in: Erstes Spielbuch für Geige und Klavier, Köln, Tonger (W. Isselmann); Fünfzehn Stücke aus „Sieben mal sieben und ein Menuett" für Violine und Gb.,

Berlin-Lichterfelde, Lienau, Ed. 1374 (E. Pätzold); Ein Dutzend Menuette für C-Blockflöte und Klavier, Leipzig, Hofmeister, V 1005 (G. Wohlgemuth); 34: 4 (G), 14 (a), 16, 23, 28 (F), 36, 43 in: Sieben Menuette für ein Melodieinstrument und Baß mit einer freien Mittelstimme zum dreistimmigen Satz ergänzt, Celle, Moeck, Zeitschrift für Spielmusik Heft 12, 1955 (G. Ochs).

Ausgaben für 2 Melodieinstrumente: 34: 2 (F), 3, 4 (F), 11 (F), 20, 23 (C), 37, 47 (F) in: Kleine Stücke für 2 Blockflöten im Quintabstand, Kassel, BA 865 (A. Hoffmann); 34: 5 (C), 6 (C), 7 (c), 24 (B), 25 (C), 32 (d), 37, 46 in: Menuette für 2 Blockflöten im Quintabstand, Mainz, Schott, Ed. 2746 (G. Wohlgemuth); 34: 14 (a), 26 (a), 30 (d) in: Kleine Stücke und Menuette für 2 Blockflöten im Quintabstand, Mainz, Schott, Ed. 2743 = Schott's kleine Blockflötenhefte 43; 34: 2, 4 (F), 38 (d), 50 in: Twelve short Duets for Descant and Treble Recorder or Descant Recorder and Violin, London, Schott & Co. Ltd., Ed. 10024 (E. H. Hunt); 34: 11, 20, 24, 25 in: Kleine Stücke für 2 Violinen, Mainz, Schott, Ed. 4130 (A. Hoffmann); 34: 9 und 11 in: Heiterer Barock, für Sopran- und Altblockflöte, Zürich, Zum Pelikan, PE 758 (J. Rüegg).

Widmung: Zueignungs-Schrift an den Wohl-Edlen, Großachtbaren und Wohlführnehmen Herrn, Herrn Andream Plumejon, berühmten Kauf- und Handels-Mann in Haarburg.

Als, großer Musen-Freund, mein Kiel diß Werk begann,
hab ich dir's alsofort zu eigen widmen wollen,
und zwar, dieweil ich mich auf dein Gesuch besann,
daß ich von dieser Ahrt dir etwas liefern sollen.
Jedoch, man denke nicht, daß dein Gemüt sich bloß
an solcher Kleinigkeit der Noten-Kunst ergetze.
O nein! Dein Wissen ist in Wahrheit viel zu groß,
als daß es deiner Lust so kleine Grenzen setze.
Wer deinen Sal gesehn, der Noten Überfluß,
das seltene Clavier, der Instrumenten Reihen,
der kann, wie vielerley hier öfters klingen muß,
bey solchem Anblick schon zur Gnüge prophezeyen.
Wie sonst ein gutes Ohr Veränderung begehrt,
so will der Wechsel-Klang auch hier den Geist erwecken;
und ist dir ein Concert von vielen Stimmen wehrt,
so darf die Menuet sich darum nicht verstecken.
Zudem diß kleine Ding ist so geringe nicht.
Denn wisst, daß man dabey gar viel erwägen müsse:
Gesang und Harmonie, Erfindung und Gewicht,
und was es mehr bedarf, sind keine taube Nüsse.
Hieran denkt mancher nicht, der Menuetten macht,
die weiter nichts davon, als bloß den Namen tragen.
Er meint, wenn nur der Tact in grade Zahl gebracht,
so sey schon mit der Braut ein Tanz dabey zu wagen.
Betrachte, Wehrtester, wenn man dir dieses spielt,
ob ich den Zweck erreicht, nach welchem ich mich wandte;
und fehlt' ich irgendwo, so hat doch gut gezielt
dein dir mit Hochachtung ergebener Melante.

Hamburg, den 21. April 1728

Anmerkungen: Der Titel der Sammlung erklärt sich damit, daß je 7 Menuette, zusammengedrängt auf einen Druckbogen, zunächst einzeln nacheinander auf den Markt kamen. Die 7. Lieferung enthielt ein weiteres Menuett. Jede Lieferung war auf eine der 7 Tonstufen bezogen. So stehen die Menuette des ersten Sieben in a-moll oder A-dur, des zweiten in B-dur oder h-moll, des dritten in c oder C, des vierten in d oder D oder Es, des fünften in e oder E, des sechsten in f oder F und des siebenten in g oder G. Der Katalog C (1728) nennt noch den Einzelpreis für jede Lieferung von 7 Menuetten, der Amsterdamer Katalog 1733 dagegen nur noch den Gesamtpreis.

Der Titel enthält keine Besetzungsangaben. Alle Menuette sind notiert auf 2 Systemen und weisen Generalbaß-Bezifferung auf. Im Katalog C heißt es: „Siebenmal Sieben und ein Menuet, mit und ohne Partitur, um sie auf verschiedenen Instrumenten spielen zu können". Die Kataloge D und F 1 bestimmen die Sammlung „für Clavier und andere Instrumente", Katalog F 2 „fürs Clavier oder andere Instrumente". In jedem Fall ist das Klavier an erster Stelle genannt – im Gegensatz etwa zur Kleinen Cammer-Music, die in erster Linie für ein Melodieinstrument und Generalbaß bestimmt war und eine Ausführung allein durch das Klavier nur als eine weitere Möglichkeit einräumte.

34: 51–100 Zweites Sieben mal Sieben und ein Menuett

58
(40 T.)
59
(16 T.)
60
(36 T.)
61
16 T.
62
63
(36 T.)
(24 T.)
64
(28 T.)
65
(24 T.)

66
(24 T.)
67
(24 T.)
68
(24 T.)
69
(24 T.)
70
(26 T.)
71
(32 T.)
72
(28 T.)

73
(24 T.)
74
(28 T.)
75
(28 T.)
76
(28 T.)
77
(16 T.)
78
(36 T.)
79
(24 T.)

80
(28 T.)
81
(28 T.)
82
(24 T.)
83
(28 T.)
84
(22 T.)
85
(24 T.)
86
(24 T.)

87
(20 T.)
88
(28 T. + 12 T. da capo)
89
(16 T.)
90
(24 T.)
91
(30 T.)
92
(20 T.)
93
(16 T.)

94
(24 T.)
95
(32 T.)
96
(24 T.)
97
(28 T.)
98
(24 T. + 8 T. da capo)
99
(24 T.)
100
(39 T.)

Druck: Zweytes Sieben mal Sieben und ein Menuet von Melante, Clavier, Hamburg, (Selbstverlag), 1730. **B** Bc, U 16896; **NL** DHgm, 21 E 26a; bis 1945 ferner UB Königsberg, 14304 A.

Abschrift: D-brd B, Mus. ms. 21792.

Ausgaben: 34: 51 (G), 58 (F), 64 (a), 72 (C), 73 (C), 78 (a), 82 (C), 83 (d), 90 (e) in: Ausgewählte Menuette für eine Blockflöte (Geige, Querflöte, Gambe) und Klavier, Kassel, BA 977 (W. Woehl); 34: 58 (G), 78 (d), 82 (C) in: Menuette für Sopranflöte und Gitarre, Barocke Spielmusik, Mainz, Schott, Ed. 4524 (H. Zanoskar).

Widmung: Dem Hochgebohrnen Reichs-Grafen, Grafen Fridrich Carl, Grafen zu Erpach und Limburg, Herrn auf Breuberg, meinem gnädigsten Grafen und Herrn.

Kömmt, Hochgebohrner Graf, Dir diß bedenklich vor,
wann mein beflißner Kiel Dir Menuetten weihet,
da mir doch wohl bekandt, daß Dein verwehntes Ohr
gelehrter Symphonie nur gern Gehör verleihet:
so sag' ich, es geschicht aus eigner Gunst zu mir,
und keineswegs Dein – nein! sondern ihrentwegen;
ob Dir an ihnen nichts, ist ihnen doch an Dir
und Deines Namens Glanz um so viel mehr gelegen.
So pflegt entlehnter Schmuck dem Fehler bey zu springen:
und solches macht' es auch, daß ich für nöhtig fand,
die Schwäche dieses Werks durch Dich empor zu bringen.
Ist hier inzwischen nichts, das Dich vergnügen kann,
so schreibe Du Dir selbst die allerschönsten Sätze,
und gönne mir das Glück, wie Du bisher gethan,
daß in der Ferne sich mein Auge dran ergetze.
Der Franzen Munterkeit, Gesang und Harmonie,
der Welschen Schmeicheley, Erfindung, fremde Gänge,
der Britt- und Polen Scherz, verknüpfst Du sonder Müh
durch ein mit Lieblichkeit erfülletes Gemenge.
Ich habe bey mir selbst schon oftermals gedacht:
Wann nicht ein großer Herr es ungleich besser hätte,
so wärest Du mit Ruhm zum Musico gemacht
und strittest in der Kunst mit Meistern um die Wette.
Verzeihe, gnädigster, mir diesen kleinen Scherz,
der von der Ehrfurcht mich in keinem Stücke lenket!
Du weist, es wohnt in mir kein sauer-töpfisch Herz,
das um ein muntres Wort sich gleich zu Tode kränket.
Inzwischen schenke Dir des Himmels Gunst fortan,
was jemals Dein Gemüt für wahres Glück erkannte:
Gesundheit, Leben, Ruh, ja, was nur wünschen kann
Dein unterthänigster, gehorsamster Melante.

Hamburg, den 6. Febr. 1730.

Anmerkungen: Ähnlich wie in der ersten Sammlung (vgl. die Anmerkungen zu 34: 1–50) sind die Menuette nach Tonarten geordnet. Nur wird beim vierten Sieben (Nr. 72–78) auf Es-dur verzichtet, und beim sechsten Sieben (Nr. 86–92) tritt fis-moll an die Stelle von f-moll.
Das Titelblatt legt eine Ausführung durch ein Klavierinstrument fest. In den Katalogen wird zur Frage der Besetzung nichts gesagt; da die Sammlung sich als Fortsetzung der ersten ausgab, sollte der Leser aber vermutlich die Besetzungsangaben zur ersten Menuett-Sammlung auch auf die zweite beziehen und damit alternative Besetzungen nicht ausschließen. Auch in der zweiten Sammlung ist die Unterstimme beziffert.

35: Einzelstücke

35: 1 Marche pour Monsieur le Capitaine Weber und Retraite F-dur

Druck: in: Der getreue Music-Meister, Hamburg, (Selbstverlag), 1728 (–29), (Nr. 19), Lektion 6, S. 24 (Gesamtinhalt und Fundorte s. u. S. 242ff.).

Abschrift: **D-ddr** Bds, Mus. ms. 30382, Nr. 14.

Ausgabe: in: Hortus musicus 9, S. 21 (D. Degen).

Anmerkung: Im Inhaltsverzeichnis des Getreuen Music-Meisters registriert Telemann „Marche & Retraite" in der Abteilung „Abgesonderte Galanterie-Stücke" als ein zusammengehöriges Stück.

35: 2 La Poste B-dur

Druck: in: Der getreue Music-Meister, Hamburg, (Selbstverlag), 1728 (–29), (Nr. 44), Lektion 14, S. 56 (Gesamtinhalt und Fundorte s. u. S. 242ff.).

Abschrift: **F** Pn, Ms. 2669, S. 26.

Ausgabe: in: Hortus musicus 9, S. 32 (D. Degen).

Anmerkung: Im Inhaltsverzeichnis ebenfalls unter „Abgesonderte Galanterie-Stücke" geführt.

35: 3 Menuet G-dur

Abschrift: D-brd B, Mus. BP 708 (Sammlung Pretlack).

35: 4 Amoroso A-dur

Abschrift: D-brd B, Mus. BP 710 (Sammlung Pretlack).

35: 5 Gigue d-moll

Abschrift: D-ddr SWl, 618 (Nr. 4).

Anmerkung: Der Sammelband enthält insgesamt 41 Stücke. Davon sind 5 vollständig textiert. Der Name des Komponisten ist nur bei 4 Stücken genannt: (Nr. 4) „Gigue de Mons. Telemann"; (Nr. 5) „Menuet di T. Knöchel"; (Nr. 18) „Concerto del Sign. Förster pour le Clavecin"; (Nr. 29) „Menuet di T. K.". Von Telemann stammt außerdem das letzte Stück der Handschrift, die textierte Aria „Das Glücke kommt selten per Posta" (aus den Singe-, Spiel- und Generalbaß-Übungen). 3 hier nicht textierte Stücke finden sich auch in Sperontes' Singender Muse an der Pleiße, Leipzig 1736 (Neuausgabe hrsg. v. Edward Buhle in DDT 35/36): (Nr. 12) = „Packe dich weit von mir", NA S. 51 Nr. 53; (Nr. 24) = „Lieben ist ein Werk der Götter", NA S. 24 Nr. 23b; dieses Stück findet sich auch in der „mehrentheils" Telemann zugeschriebenen Handschrift **D-brd** Mbs, Mus. ms. 1579; s. u. 36: 8; (Nr. 25) = „Mißvergnügter Sinn", NA S. 7 Nr. 3.

35: 6 Menuett und Alternatio D-dur

Abschrift: (Orgeltabulatur): **A** Wn, 16798 (Faksimile-Wiedergabe bei K. Schäfer-Schmuck, S. 6); Alternatio als Menuet in der Handschrift **D-brd** Mbs, Mus. ms. 1579 (s. u. 36: 102).

Anmerkung: Orchesterfassung in der Ouvertüre 55: E 1. – K. Schäfer-Schmuck stuft Menuett und Alternatio als früheste erhaltene Komposition Telemanns ein, da die Orgeltabulatur angeblich im Jahre 1699 entstanden sein soll. Das Datum bezieht sich aber lediglich auf die Entstehung einer anderen Komposition der Tabulatur.

Anh. 35: Musique Heroique ou XII Marches, Helden-Music, bestehend aus 12 Marchen

Hamburg, (Selbstverlag, 1728)
s. Anh. 41
sieht auch alternative Besetzung für Klavier vor (s. die Kataloge C, F 1 und F 2).

Anh. 35: 1 Menuett B-dur

Ausgabe: in: H. Riemann, Anleitung zum Generalbaßspielen, Leipzig 3/1909, S. 147
= Menuett aus der Orchester-Ouvertüre in Musique de Table III, 55: B 1
= Thema von Max Regers Variationen und Fuge für Klavier op. 134.

Anh. 35: 2 Passacaille e-moll

Ausgabe: bearbeitet für Guitarra, Nice, Delrieu & Cie., 1964 (J. de Azpiazu)
= von J. V. Görner, von Telemann veröffentlicht im Getreuen Music-Meister unter Görners Namen (NA in Hortus musicus 9, S. 30).

36: Sammelhandschrift **D-brd** Mbs, Mus. ms. 1579

36: 1–168 Neue Auserlesene Arien, Menueten und Märche, so mehrentheils von dem weltberühmten Musico und Capell-Director, Monsieur Telemann bey der damahligen, in der Fürstl. Sächs. Eisenachischen Residenz aufgerichteten Hof-Capelle componiret worden sind

7 Menuet
(24 T.)
8 Aria. Lieben ist ein Werck der Götter
(10 T.)
9 Aria. Trage, schönste Schäferin
(7 T. + 6 T. 3/4)
10 Aria. Komm, ach komm, mein werthes Leben
(8 T.)
11 Aria. Ob ich gleich ein Schäfer bin
(8 T.)
12 Aria. Stille Gedanken
(18 T.)
13 Menuet. Neidet mich immerhin
(16 T.)

14 Allegro. Alles ist mir Einerley
(14 T.)
15 Aria. Cupido, bleibe mir ja vom Leibe
tr
tr
(18 T.)
16 Valet Aria. Zu guter Nacht, mein Licht
(8 T.)
17 Menuet
tr
(16 T.)
18 Menuet. Unser Caplan
(24 T.)
19 Lamento. Liebe Nonne
(16 T.)
20 Menuet. Ihr Sorgen, verlaßt die stillen Gedancken
tr
(28 T.)
21 Menuet
tr
(24 T.)

22 Menuet. Laß es gehn, wie es geht
(16 T.)
23 Menuet. Ich muß gestehn
(16 T.)
24 Menuet. Meine Lust und Vergnügung
(24 T.)
25 Menuet. Wem der Himmel
(16 T.)
26 Menuet. Laßt mich gehen, ihr nichtigen Sorgen
(21 T.)
27 Menuet. Mein Herz, getrost
(24 T.)
28 Menuet. Wenn mein Mädgen
(20 T.)
29 Menuet. Tausend Vergnügung muß mir geschehn
(28 T.)

30 Menuet. Meine Losung heißt stille seyn
(16 T.)
31 Menuet
(24 T.)
32 Menuet. Süßes Vergnügen
(36 T.)
33 Menuet d'Anjou
(32 T.)
34 Gavotte
(32 T. + 8 T. da capo)
35 Menuet. Fleug nur, Cupido
(24 T.)
36 Menuet. Ich hoffe was
(28 T.)

37 Menuet. Geliebter Trost
tr
(24 T.)
38 Loure. Ich liebe die Freyheit
(24T.)
39 Menuet
tr
(16T.)
40 Menuet
(24T.)
41 Menuet
(20T.)
42 Menuet. Was muß oft nicht
tr
(24 T.)
43 Aria
(5 T. + 4 T. 3/2 + 4 T. 6/8 + 4 T. 3/2 + 16 T. 3/4)

44 Marche
(14 T.)
45 Aria. Ach mein Vergnügen
(22 T.)
46 Marche
(12 T.)
47 Marche de Mons. Telemann
(38 T.)
48 Marche de Mons. Telemann
(38 T.)

49 Pollonisse
(26T.)

50 Aria. Ich liebe negligent
(10 T.)
51 Menuet
(20 T.)
52 Aria. Aimable vain cœur. Zufrieden, mein Herz
(38 T.)
53 Menuet
(24 T.)
54 Menuet
(32 T.)
55 Menuet
(24 T.)
56 Menuet
(22 T.)

57 Menuet
(28 T.)
58 Gavotte
(18 T. + 8 T. da capo)
59 Menuet
(32 T.)
60 Menuet
(32 T. + 8 T. da capo)
61 Menuet. Ich bin vergnügt
(24 T.)
62 Menuet
tr
(16 T.)
63 Lamarie
(36 T.)

64 Menuet. Die Blumen deiner schönen Wangen
(24 T.)
65 Menuet
(42 T.)
66 Menuet
(16 T.)
67 Aria
(12 T.)
68 Menuet
(24 T.)
69 Menuet. Nimm das Herz von mir hin
(24 T.)
70 Menuet
(24 T.)

71 Menuet
tr
(24T.)
72 Menuet
tr
(28T.)
73 Menuet. Soll ich mein Licht
tr
tr
(24T.)
74 Menuet. Geliebter Aufenthalt
(16T.)
75 Menuet
(24T.)
76 Menuet
(24T.)
77 Menuet. Willstu, mein Leben
(24T.)

78 Menuet. Willstu denn nun von mir scheiden
(14 T.)
79 Menuet
tr
(24 T.)
80 Aria
(16 T.)
81 Menuet
(24 T.)
82 Menuet
(16 T.)
83 Menuet
(20 T.)
84 Menuet
tr
(16 T. + 8 T. da capo)

85 Menuet
(24 T.)
86 Menuet
(28 T.)
87 Menuet
(24T.)
88 Menuet
(28 T.)
89 Menuet
(24 T. + 8 T. da capo)
90 Menuet. Ach was für Martter
(24 T.)
91 Menuet
(36 T.)

92 Menuet
tr
(20 T. + 8 T. da capo)
93 Menuet
(16 T.)
94 Menuet. Eilet, ihr Seuffzer
(28 T.)
95 Menuet. Nichts Vergnügters ist zu finden
(24 T.)
96 Menuet. Ich muß euch meiden
tr
(16 T.)
97 Menuet
(16 T.)
98 Menuet. Was ich vor Traurigkeit
tr
(24 T.)

99 Menuet
tr
(24 T.)
100 Aria. Mein Engel, laß uns heimlich lieben
(16 T.)
101 Menuet
(24 T.)
102 Menuet
(16 T.)
103 Menuet
tr
tr
(24 T.)
104 Menuet
tr
(24T.)
105 Menuet
tr
(24 T.)

106 Menuet
(28 T.)
107 Menuet
(16 T.)
108 Menuet
(16 T.)
109 Menuet
(24 T.)
110 Menuet
(32 T.)
111 Menuet. Lieben und verschwiegen seyn
(24 T.)
112 Menuet
(24 T.)

113 Aria. Gute Nacht, mein Hertzens Mädgen

114 Aria. Ihr vergnügten Stunden

115 Menuet. Mein angenehmes Licht

116 Menuet. Mein Mädgen das ist recht galland

117 Aria. Vergönnt mir, Ihr Schönen

118 Menuet

119 Menuet

120 Menuet

121 Menuet
(18 T.)
122 Menuet
tr
tr
(24 T.)
123 Menuet
(24 T.)
124 Menuet
(40 T.)
125 Menuet
(24 T.)
126 Marche
(15 T.)
127 Marche
(40 T.)

128 Menuet
(18 T. + 10 T. da capo)
129 Menuet
(16 T. + 8 T. da capo)
130 Menuet
(32 T.)
131 Menuet
(26 T.)
132 Menuet
(20 T. + 10 T. da capo)
133 Menuet
(40 T.)
134 Menuet
(26 T. + 16 T. da capo)

135 Menuet
(26T.)
136 Menuet
(36T. + 20T. da capo)
137 Menuet
(35T.)
138 Menuet
(24T.)
139 Menuet
(28T.)
140 Menuet
(16T.)
141 Menuet
(24T.)

142 Tobacks Aria. So offt ich meine Tobacks Pfeiffe
(11 T.)
143 Schönster Herr Bräutigam
(16 T.)
144 Menuet
(34 T.)
145 Menuet
(32 T.)
146 Menuet
(32 T.)
147 Menuet
3
3
(24 T.)
148 Menuet
(20 T. + 10 T. da capo)

149 Menuet
(16 T.)
150 Menuet
(30T.)
151 Menuet
(24 T.)
152 Menuet
(34 T.)
153 Menuet
(32 T.)
154 Menuet
(36T.)
155 Menuet
(28 T.)

156 Menuet
(30T.)
157 Menuet
(24T.)
158 Menuet
(24T.)
159 Menuet
(24T.)
160 Menuet
(24T.)
161 Menuet
(24 T.)
162 Menuet
(24T.)

163 Menuet
(34 T.)
164 Menuet
tr
(24T.)
165 Dem Gärtner muß das Hertze lachen
(11 T.)
166 Liebstes Kind, ich bin dir gut
(10T. + 8T. da capo)
167 Marche
(26T.)
168 Marche
(21 T.)

Anmerkungen: Dem Titel zufolge sollen die 168 Stücke der Handschrift „mehrentheils" von Telemann komponiert worden sein. Nur die Märsche Nr. 47 und 48 tragen seinen Namen; ein anderer Komponist wird in der Handschrift nicht genannt. Mit Sicherheit lassen sich außer den beiden Märschen 8 Stücke Telemann zuschreiben:

30 = Menuett aus der Ouvertüre 55: G 3,7
32 = Menuett aus der Ouvertüre 55: G 3,3
49 = Paysans aus der Partie g-moll für 2 Lauten 39: 2
und Harlequinade aus der Ouvertüre 55: a 7
70 = Menuett I aus der Ouvertüre 55: A 6
77 = Menuett III aus der Ouvertüre 55: G 5
88 = Menuett I aus der Ouvertüre 55: Es 4
102 = Alternatio 35: 6,2 und Menuett II aus der Ouvertüre 55: E 1
124 = Menuett aus der Ouvertüre 55: D 10.

Bei zahlreichen anderen Stücken stimmen die ersten 2 bis 4 Takte, in einem Fall sogar die ersten 8 Takte mit den Anfängen von Sätzen Telemanns überein, z. B.

7 → Menuett aus der Ouvertüre 55: B 12
22 → Menuett II aus der Ouvertüre 55: E 2
58 → Presto aus der Sonate 41: F 1
68 → Menuett 34: 21
81 → Menuett I aus der Ouvertüre 55: D 4
96 → Menuett I aus der Ouvertüre 55: D 21
109 → Menuett I aus der Ouvertüre 55: D 8
121 → Sans souci aus der Sonate 41: g 4; Menuett 34: 43
144 → Menuett II aus der Ouvertüre 55: e 3
158 → Menuett 34: 55.

Bei 109 stimmt der ganze erste Teil mit dem Suitensatz überein; der zweite Teil ist in der Klavierfassung doppelt so lang wie im Suitensatz. Im allgemeinen weisen die Orchesterfassungen den größeren Umfang auf. In dem Brief an Carl Heinrich Graun vom 15. 12. 1751 bekennt Telemann, er habe sich „etliche tausendmal selbst copirt". Vor allem in anspruchsvolleren Sonaten- und Suitensätzen läßt sich dies nachweisen. Wenn jedoch bei zwei einfachen Menuetten die Anfangstakte übereinstimmen, wird man nicht unbedingt folgern dürfen, daß der Komponist die Melodie des einen Menuetts bewußt kopiert und variiert hat; denn in liedhaften Viertakt-Perioden ist die Zahl der melodischen und rhythmischen Varianten beschränkt. Auch zwischen einzelnen der 168 Incipits der Handschrift lassen sich Übereinstimmungen und Ähnlichkeiten feststellen (z. B. 35–100; 62–64–104; 24–106; 26–30).

Der weitaus größte Teil der Stücke der Handschrift unterscheidet sich stilistisch nicht von Telemanns Menuetten, Tanzsätzen und Tanzliedern; Telemann kann also als der Hauptkomponist angesehen werden.

Der Titel der Handschrift bringt die Kompositionen in Zusammenhang mit Telemanns Tätigkeit als Eisenacher Hofkapellmeister in den Jahren 1708–1712. Das einschränkende „mehrentheils" wird man auch auf die Chronologie beziehen müssen. Daß die Handschrift erst einige Jahrzehnte später angelegt worden sein kann, zeigen ihre Berührungspunkte mit Sperontes' Singender Muse an der Pleiße (Leipzig, 1736; Neudruck hrsg. v. Edmund Buhle in: DDT 35/36). Die folgenden Stücke der Handschrift finden sich auch in der Singenden Muse:

1 = NA S. 52 Nr. 54 (mit kleineren Abweichungen)
3 = NA S. 64 Nr. 67 (mit kleineren Abweichungen)
8 = NA S. 24 Nr. 23b
13 = NA S. 15 Nr. 12
14 = NA S. 15 Nr. 11b
38 = Variante zu S. 174 Nr. 26

Bei Nr. 61 stimmt nur der Textanfang mit NA S. 134 Nr. 33 überein, nicht die Melodie und auch nicht der weitere Textbau. Nr. 100 und 142 zitieren Textanfänge, die in der Singenden Muse mit anderen Melodien vorkommen.

Sperontes hat vorhandene Melodien gesammelt und könnte auch auf eine 25 Jahre alte Handschrift zurückgegriffen haben. Unsere Nr. 1 ist aber überschrieben „Ihr Schönen, höret an". Diesen Text, das bekannte Spottlied auf die studierenden Damen der Leipziger Universität, hat Sperontes erst in der zweiten Ausgabe seiner ersten Auflage nachträglich einfügen lassen; er war zu singen nach der Melodie „Ich bin nun, wie ich bin". Entgegen den Aussagen von H. Graeser und K. Schäfer-Schmuck ist keinem der 168 Stücke ein vollständiger Text unterlegt. Lediglich die Textanfänge sind bei 58 Stücken als Überschrift hinzugefügt. Nr. 7 ist identisch mit Nr. 111; nur bei 111 ist ein Textanfang angegeben. Von den 8 Sätzen, die sich auch in Ouvertüren Telemanns nachweisen lassen, weisen 3 in der Handschrift Textüberschriften auf (Nr. 30, 32, 77).

Alle Stücke sind klaviermäßig in zwei zusammengefaßten Systemen notiert. Bei Nr. 48 und 127 ist das obere System überschrieben „Violino I". Nur in 48 (entgegen K. Schäfer-Schmuck nicht auch in 47 und 127) folgt auf den zweistimmigen Satz eine zusätzliche, in 4 einzelnen Systemen notierte und als „Viol. 2" bezeichnete Stimme.

Eine Variante von Nr. 15 mit dem Text „Herr, wer wird wohnen in deiner Hütten" (statt „Cupido, bleibe mir vom Leibe") findet sich in Leopold Mozart's Notenbuch, hrsg. v. Hermann Abert, Leipzig, Kistner & Siegel, Ed. 114, S. 29. Das Stück mußte umgearbeitet werden, um die Melodie dem anders gegliederten Text anzupassen. Nachdruck bei Heinrich Martens, Musikalische Formen in historischen Reihen, Erster Band: Das Menuett, Berlin-Lichterfelde, Vieweg, S. 18.

37: Lustiger Mischmasch

Druck: nicht erhalten; erschienen 1734/35.

Anmerkungen: Telemann erwähnt die Sammlung mehrmals in seinen Verlagskatalogen:
F 2 (1734; unter „Werke, so nach und nach herausgegeben werden können"):
Lustiger Mischmasch, für die Violine, oder Travers, nebst Gener. B.
G (17. 1. 1735; „ans Licht getreten"):
Lustiger Misch-Masch, fürs Clavier und allerhand Instrumente, bestehend aus kurzen, mehrentheils Schottischen Stücken, nebst angehangenen Clausuln, so zur Erfindung beiträglich . . .
H (August 1735; „Seine neueren Werke sind folgende"):
Lustiger Mischmasch: Sammlung der ausschweifensten Schottischen und einiger Telemannischen Stücke . . .
K 1 (4. 1. 1736; „Neuere Telemannische Werke"):
Lustiger Mischmasch: Sammlung der ausschweifensten Schottischen Stücke . . .
M (Autobiographie 1739; „Von gedruckten Werken sind folgende ans Licht getreten"):
lustiger Mischmasch oder Scotländische Stücke, fürs Clav. und andere Instrum.
Jacob Adlung (Anleitung zu der musikalischen Gelahrtheit, Erfurt 1758, S. 723) schreibt in seinem Verzeichnis der Klavierkomponisten unter Telemann: „der Mischmasch ist uns allhier auch nicht unbekannt".

39: Werke für Laute

39: 1 Partie Polonoise B-dur für 2 Lauten

Harlequinade
(36T. + 10T. da capo)
Le Ris
tr
(22 T. + 9 T. da capo)
Rigidon
(24T.)
Combattans
(22T.)
Hanaque
(32T.)
Sarrois
(22T.)
Gigue
tr
(38T.)

Abschrift: (in französischer Lautentabulatur): Partie Polonoise en B, y Traduite de C, a Deux Luths, faite a 2 Violes et la Basse par l'Autheur Msr. Melante.
PL Wu (früher WRu, Ms. Mf. 2001).

Ausgabe: Suita polska na klawesyn, Kraków, Polskie Wydawnictwo Muzyczne Nr. 5017 (1963) = Florilegium Musicae antiquae XI (J. M. Chomińskiego) (bearbeitet für Klavier).

Anmerkungen: Die ursprüngliche Fassung für 2 Violen und Baß ist nicht überliefert. Die Tabulatur befand sich früher im Kloster Grüssau (vgl. den ersten Bericht von Krystyna Wilkowska-Chomińska in: Beiträge zu einem neuen Telemannbild. Konferenzbericht der 1. Magdeburger Telemann-Festtage 1962, Magdeburg 1963, S. 23–37).
Das Thema der Hanaque hat Telemann im Scherzo VI des Divertimento B-dur verarbeitet.

39: 2 Partie g-moll für 2 Lauten

Abschrift: überliefert zusammen mit der Partie Polonoise (s. 39: 1).

Anmerkungen: Orchesterfassung der Partie, aber ohne den letzten Satz, s. 55: a 7 (Satzüberschriften: Réjouissance statt Effronterie, Harlequinade statt Paysans). Der Satz Paysans findet sich im Klaviersatz in der Handschrift **D-brd** Mbs, Mus. ms. 1579 (s. 36: 49).
Nach H. Graeser hat sich früher in der Bibliothek Wolffheim (Berlin) eine in französischer Lautentabulatur notierte Partie de Melante befunden, die alle Sätze der Partie g-moll außer der Ouvertüre und dem Schlußsatz enthielt.

Anh. 39:

1733 führt Telemann im Katalog F 1 unter den Edenda „Galanteries pour le Luth". In der deutschen Übersetzung F 2 heißt es „Lauten-Galantherien". Da ein entsprechender Titel in keinem späteren Katalog erwähnt wird, kann als sicher gelten, daß Telemann zumindest bis 1740 keine Sammlung mit Lautenstücken publiziert hat.
Moderne Umarbeitungen für Laute oder Gitarre s. unter 32: 1, 2 und 4; Anh. 32: 1; 33: 15; 34: 51–100; 40: 18, 19, 20, 106, 122; 41: C 2, C 5, d 4, E 2, e 1, F 2, G 2, a 3, a 6.

Abteilung 4: Kammermusik

40: Kammermusik ohne Generalbaß

40: 1 Sonate D-dur für Viola da gamba ohne Gb.

Druck: in: Der getreue Music-Meister, Hamburg, (Selbstverlag), 1728 (–29) (Nr. 45), Lektion 15, S. 57 und 61 (Gesamtinhalt und Fundorte s. u. S. 242ff.).

Ausgaben: in: Viola da gamba-Schule, Leipzig, Anton J. Benjamin, Elite-Edition Nr. 424 (P. Grümmer); Fantasie D-dur, Hamburg, Sikorski, Ed. 689 (W. Lebermann); London, Schott & Co. Ltd., Ed. 11123 (J. Liebner), Ausgabe für Viola Ed. 11124, für Violoncello Ed. 11125; Sonate pour Violoncelle seul, Nice, Delrieu, 1949 (P. Ruyssen); Suite für Viola da gamba, Ausgabe für Violoncello, Paris, Leduc, 1950 (P. Bazelaire).

40: 2–13 12 Fantasien für Querflöte ohne Gb.

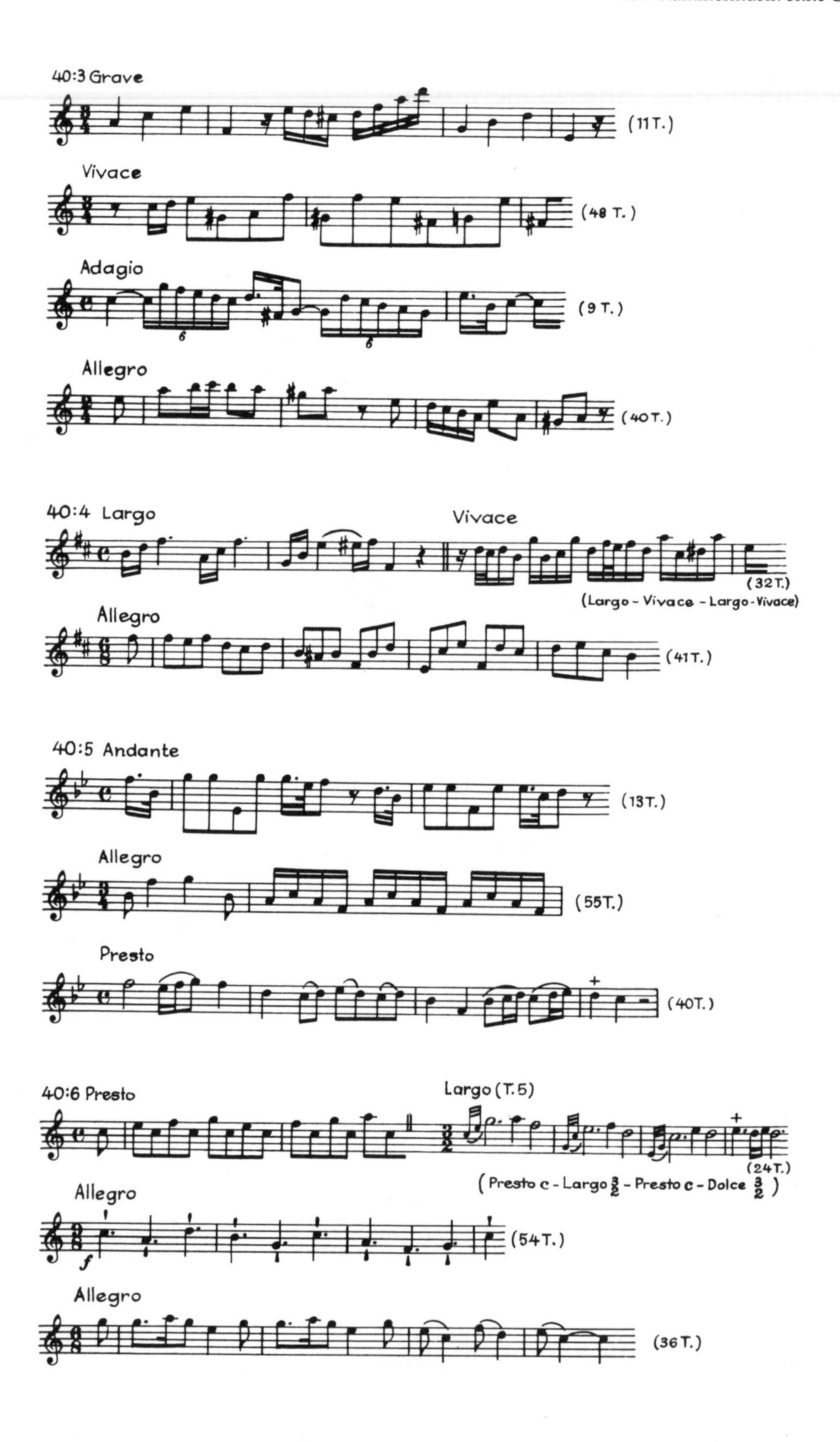
40:3 Grave
(11 T.)
Vivace
(48 T.)
Adagio
(9 T.)
Allegro
(40 T.)
40:4 Largo
Vivace
(32 T.)
(Largo - Vivace - Largo - Vivace)
Allegro
(41 T.)
40:5 Andante
(13 T.)
Allegro
(55 T.)
Presto
(40 T.)
40:6 Presto
Largo (T. 5)
(24 T.)
(Presto c - Largo 3/2 - Presto c - Dolce 3/2)
Allegro
(54 T.)
Allegro
(36 T.)

40:7 Dolce
(30T.)
Allegro
(32 T.)
Spirituoso
(42T.)
40:8 Alla francese
(T.15)
(84 T. + 10T. c)
Presto
(40T.)
40:9 Largo
(17T.)
Spirituoso
(31 T.)
Allegro
(24 T.)
40:10 Affettuoso
(29T.)
Allegro
(50T.)

Grave
(4T.)
Vivace
(40T.)
40:11 A tempo giusto
(54T.)
Presto
(64T.)
Moderato
(24T.)
40:12 Allegro
(26T.)
Adagio
Vivace
(31T.)
Allegro
(26T.)
40:13 Grave
Allegro
(55T.)
(Grave 3/2 - Allegro 3/4 - Grave 3/2 - Allegro 3/4)
Dolce
Allegro
(6T.)
(8T.)
Presto
(56T.+16T. da capo)

Druck: 12 Fantaisies à Travers. sans Basse (so der Titel im Amsterdamer Katalog 1733; das einzige erhaltene Exemplar trägt ein falsches Titelblatt; vgl. Anmerkungen zu 40: 14–25), (Hamburg, Selbstverlag, 1732/33).
B Bc, T 5823.

Ausgaben: TA Bd. 6, S. 2–25 (G. Haußwald), Einzelausgabe Kassel, BA 2971; Leipzig und Frankfurt/Main, Peters, Ed. 9715 (Burmeister); 40: 2, 3, 4, 7, 8, 9, 10, 11, 12 (alle um kleine Terz aufwärts transponiert) und 40: 5, 6, 13 (um Quarte aufwärts transponiert) in: Zwölf Fantasien für Altblockflöte, Kassel, Bärenreiter, BA 6440 (M. Harras); 40: 2, 4, 8, 9, 11, 12 (alle um kleine Terz aufwärts transponiert) in: Sechs Fantasien für die Altblockflöte, Mainz, Schott, Ed. 4734 = OFB 101 (H. M. Linde); 40: 2, 3, 4, 8, 9, 12 (alle mit Terztransposition) in: Six Phantasias for Solo Alto Recorder, Frankfurt/Main, Hofmeister, 1962 (F. Brüggen); 40: 3 und 4 (mit Terztransposition) in: Two Fantasies, New York, McGinnis & Marx, MM 1107.

Anmerkungen: Noch nicht in Katalog E vom 17. März 1732, sondern erstmals unter den erschienenen Werken im Amsterdamer Katalog 1733, und zwar unmittelbar vor den Klavier-Fantasien. Die Lieferbarkeit des ersten und des zweiten Dutzends der Klavier-Fantasien war in der Presse am 26. 11. 1732 gemeldet worden, die des dritten Dutzends am 28. 10. 1733.

40: 14–25 12 Fantasien für Violine ohne Gb.

40:16 Adagio
(18 T.)
Presto
(81 T.)
Grave
(3 T.)
Vivace
(24 T.)
40:17 Vivace
(72 T.)
Grave
(6 T.)
Allegro
(28 T.)
40:18 Allegro
Presto (T. 9)
(63 T.) (Allegro-Presto-Allegro-Presto)
Andante
(6 T.)
Allegro
(58 T.)

40:19 Grave
(41 T.)
Presto
(80 T.)
Siciliana
(12 T.)
Allegro
(T. 24)
(47 T. + 23 T. da capo)
40:20 Dolce
(15 T.)
Allegro
(59 T.)
Largo
(15 T.)
Presto
(26 T.)
40:21 Piacevolmente
(16 T.)
Spirituoso
(54 T.)
Allegro
(25 T.)

40:22 Siciliana
(16 T.)
Vivace
(70 T.)
Allegro
(30 T.)
40:23 Presto
(84 T.)
Largo
(35 T.)
Allegro
(24 T.)
40:24 Un poco vivace
(86 T.)
Soave
(37 T. + da capo Un poco vivace)
Allegro
(18 T.)
40:25 Moderato
(48 T.)
Vivace
(70 T.)
Presto
(22 T.)

Druck: Fantasie per il Violino senza Basso, (Hamburg, Selbstverlag, 1735).
Nur Titelblatt erhalten, aber fälschlich vorgeheftet vor das Brüsseler Exemplar der Fantasien für Querflöte (40: 2–13).

Abschrift: **D-brd** B, Mus. ms. 21788 (anon.).

Ausgaben: TA Bd. 6, S. 28–51 (G. Haußwald), Einzelausgabe Kassel, BA 2972; Wolfenbüttel, Kallmeyer, 1927 und Möseler, M 20024, 1951 (A. Küster); Leipzig und Frankfurt/Main, Peters, Ed. 9365 (M. Fechner); 12 fantazii na skrzypce solo, Kraków, Polskie Wydawnictwo Muzyczne, PWM 5974 (E. Uminska); 12 Fantazij dlja skripki solo, Moskwa, Gos. Muz. Izd., 1955 (K. Mostrasa); 12 Fantasias for Viola, New York, McGinnis & Marx, MM 1110 und 1111 (L. Rood); 40: 17 in: C. Parrish, A Treasury of Early Music, London, 1958, S. 300; 40: 18 Fantasia en la, transcript pour Guitare, Paris, Leduc (L. de Azpiazu); 40: 19 Fantasia en mi mineur, Transcription pour Guitare, Paris, Leduc, 1966 (L. de Azpiazu); 40: 20 Fantasia VII, trascrizione per di chitarra, Frankfurt/Main, Zimmermann, Z 11999 (J. de Azpiazu).

Anmerkungen: Das originale Titelblatt trägt keine Jahreszahl. Auf dem Titelblatt der Abschrift wurde hinzugefügt „Ao. 1735". Das Datum deckt sich mit den Angaben in Telemanns Katalogen. In F 1 und F 2 (1733 und 1734) erscheinen die Fantasien unter den Edenda. Katalog G (Januar 1735) bringt sie noch nicht. Katalog H (August 1735) führt sie unter den neueren, d. h. erschienenen Werken. Die Kataloge bestätigen auch, daß das Brüsseler Titelblatt zu den Fantasien 40: 14–25 gehört und daß Telemann der Komponist ist. In Katalog H heißt es: „12 Fantasien für die Violine ohne Baß, wovon 6 mit Fugen versehen, 6 aber Galanterien sind", und in K 1: „12 Fantasien für die Violine ohne Baß, wovon 6 fugieren". Es sind dies die Fantasien 40: 14–19.

40: 26–37 12 Fantasien für die Gambe ohne Gb.

Druck: (Hamburg, Selbstverlag, 1735/36).
Kein Exemplar erhalten.

Anmerkungen: Nachdem der Amsterdamer Katalog 1733 unter den Edenda „12 Fantaisies à Basse de Viole sans Basse" aufgeführt hatte, kündigte Katalog H im August 1735 an: „Der Telemannische Verlag wird 12 Fantasien für die Viola di Gamba oder (sic) Baß und 6 deutsche moralische Cantaten ohne Instrumente dergestalt ans Licht stellen, daß an einem Donnerstag 2 Fantasien, und am andern eine Cantata, wechsels-Weise zum Vorschein kommen ... Der Beginn damit wird den 4. August gemacht". Die Kataloge des Jahres 1736 (K 1, K 2, L) führen die Fantasien für die Gambe unter den erschienenen Werken. Auch in der Autobiographie 1739 werden sie erwähnt.
Die NA 12 Fantasias for Viola, New York, McGinnis & Marx, MM 1110 und 1111 (L. Rood) enthält die Fantasien 40: 14–25.

40: 101–106 6 Sonaten für 2 Flöten oder Violinen ohne Gb.

Andante
(27 T.)
Allegro
(50 T.)
40:102
Dolce
(27 T.)
Allegro
(52 T.)
Largo
(34 T.)
Vivace
(66 T.)
40:103
Siciliano
(31 T.)
Vivace
(70 T.)

Andante
(22 T.)
Allegro
(142 T.)
40:104
Largo
(55 T.)
Allegro
(70 T.)
Affettuoso
(35 T.)
Vivace
(108 T.)
40:105
Largo
(42 T.)
Vivace
(130 T.)

Druck: Sonates sans Basse, à deux Flutes traverses, ou à deux Violons, ou à deux Flutes à bec, dediées à Messieurs George Behrmann et Pierre Diteric Toennies, Hamburg, Selbstverlag, 1727.
D-brd BMs, a 395; **B** Bc, S 5599; **DK** Kk, mu 6207.3190.

Nachdrucke: Sonate a due flaute traversiere o due violini sine basso, Amsterdam, Le Cène, Nr. 558, (um 1730).
Kein Exemplar erhalten; Nachweis bei F. Lesure, Bibliographie des éditions musicales publiées par E. Roger et M. C. Le Cène, Paris 1969.
Sonates pour deux flûtes traversières, deux flûtes douces ou deux violons, gravées par J. L. Renou, Paris, Le Clerc, (1736/37), 2. Ausgabe gravées par De Gland, Paris, Le Clerc, (nach 1736).
1. Ausgabe: **F** Pc, K 836; **H** Bb; 2. Ausgabe: **F** Pc, Vm^7 6519.
Six Sonatas or Duets for two german flutes or violins . . ., Opera seconda, London, Walsh, (1746).
GB Lbl, g 401 a (2); **B** Bc, T 12122; **F** Pmeyer; **US** Wc, M 289.A2.T46.

Abschriften: **F** Pc, Vm^7 6521; **D-brd** B, Mus. ms. 21787/1 (Reihenfolge wie im Pariser Nachdruck).

Ausgaben: TA Bd. 8, S. 2–55 (G. Haußwald), Einzelausgabe in 2 Heften, Kassel, BA 2979 und 2980; 6 Duette für 2 Flöten oder Geigen, Wolfenbüttel, Kallmeyer, 1926 und Möseler, M 21018, 1949 und 1976 (R. Budde); Sonaten ohne Gb. für 2 Altblockflöten in F (Terztransposition), Wolfenbüttel, Möseler, M

22001–22006 (F. Conrad); 6 Duette für 2 Blockflöten oder andere Melodieinstrumente (Terztransposition), Halle, Mitteldeutscher Verlag, 1949, und Leipzig, VEB Hofmeister, B 106 und 106a (L. Höffer v. Winterfeld); Six Sonatas for two Violins, New York, Weaner-Levant publications, 1944 (F. Rikko); Einzelausgaben London, Schott & Co. Ltd. (Terztransposition): 40: 101 LIB 33 (W. Bergmann), 102 LIB 4 (E. H. Hunt), 103 LIB 34 (W. Bergmann), 104 LIB 26 (M. Champion), 105 LIB 25 (W. Bergmann), 106 LIB 35 (W. Bergmann); 40: 101, 102 und 104 in: Six Sonatas for two Bassoons, Cellos or Trombones, New York, McGinnis & Marx, MM 1145, 1108 und 1109; 40: 102 Sonate I für 2 Blockflöten, Celle, Moeck, Zeitschrift für Spielmusik Nr. 128 (W. Schultz); Largo aus 40: 102 in: Kleine Stücke für 2 Violinen, Mainz, Schott, Ed. 4130 (A. Hoffmann) und in: Leichte Cello-Duette, Mainz, Schott, Ed. 5276 (Bendik und Storck); 40: 104 5. Sonata e-moll, Hamburg, Sikorski, 540 d, 1962 (H. Ruf); 40: 106 Sonata 6 für 2 Lauteninstrumente, Spiel zu Zweit, Berlin-Lichterfelde, Lienau (W. Gerwig).

Anmerkungen: Das Titelblatt des Hamburger Erstdrucks trägt zwar die Jahreszahl 1727; bereits am 16. November 1726 erschien aber in der Hamburger Presse die Mitteilung, die Sonates sans Basse seien bei Telemann zu haben. Die Datierung des Amsterdamer Nachdrucks ergibt sich aus der Verlagsnummer (vgl. F. Lesure, a. a. O.). Der Pariser Nachdruck gehört zu den ersten 5 Telemann-Drucken, die Charles Nicolas Le Clerc 1736/37, also vor Telemanns Pariser Reise, herausgebracht hat (vgl. M. Ruhnke in Festschrift W. Schmieder). Datierung des Londoner Drucks nach E. B. Schnapper, The British Union-Catalogue of early music, Vol. II, London 1957, S. 668 (Melande) und 998.
Die verschiedenen Drucke bringen die 6 Sonaten in unterschiedlicher Reihenfolge: Hamburg G D A e h E, Paris D G A e h E, London G D E A e h. In Band 8 der Telemann-Ausgabe hat G. Haußwald die Reihenfolge G e D h A E gewählt.
Das vorliegende Verzeichnis folgt dem Hamburger Erstdruck.
Das Widmungsvorwort s. TA Bd. 8, S. IX f.
Die Bezeichnung „Opera seconda" („Opus 2") bezieht sich nur auf die Londoner Telemann-Drucke.

40: 107 Sonate B-dur für 2 Blockflöten oder G-dur für 2 Querflöten oder A-dur für 2 Gamben ohne Gb.

Druck: in: Der getreue Music-Meister, Hamburg, (Selbstverlag), 1728 (-29), (Nr. 10), Lektion 3–5, S. 12, 13, 18, 19 (Gesamtinhalt und Fundorte s. u. S. 242 ff.).

Ausgaben: Hortus musicus 11, S. 5 (D. Degen); Sonata B-dur für 2 Blockflöten, London, Schott & Co. Ltd., LIB 7 (D. Degen); Sonata in si bemolle maggiore per due Violoncelli soli, Padova, Zanibon, 1959 (L. Malusi).

Anmerkung: Für Blockflöten ist der französische Violinschlüssel mit zwei ♭, für Querflöten der Violinschlüssel mit einem Kreuz, für Gamben der Altschlüssel mit drei Kreuzen vorgeschrieben.

40: 108 Suite D-dur für 2 Violinen ohne Gb.

Druck: in: Der getreue Music-Meister, Hamburg, (Selbstverlag), 1728 (–29), (Nr. 24), Lektion 8–11, S. 29, 32, 36, 40, 44 (Gesamtinhalt und Fundorte s. u. S. 242ff.).

Ausgabe: mit dem Titel Gulliver-Suite in Hortus musicus 11, S. 11 (D. Degen).

Anmerkungen: Die programmatischen Überschriften gehen zurück auf die 1727 erschienenen Gulliver's travels von Jonathan Swift und beziehen sich auf die Reisen zu den Zwergen (2. Satz), den Riesen (3. Satz), zu den Bewohnern des Landes Laputa, die sich, um beim Grübeln und Philosophieren nicht einzuschlafen, immer rechtzeitig aufwecken ließen (4. Satz), und zu den teils gesitteten, teils bösartigen Bewohnern des Landes der edlen Pferde (5. Satz).

40: 109 Carillon F-dur für zwei Chalumeaux oder Blockflöte und Chalumeau oder Querflöte und Chalumeau

Druck: in: Der getreue Music-Meister, Hamburg, (Selbstverlag), 1728 (–29), (Nr. 26), Lektion 8, S. 32 (Gesamtinhalt und Fundorte s. u. S. 242ff.).

40: 110 Menuett für zwei Hörner ohne Gb.

Druck: in: Der getreue Music-Meister, Hamburg, (Selbstverlag), 1728 (–29), (Nr. 27), Lektion 8, S. 32 (Gesamtinhalt und Fundorte s. u. S. 242ff.).

40: 111 Sonate B-dur für Blockflöte und Violine oder G-dur für Querflöte und Viola pomposa oder Violine oder A-dur für zwei Gamben ohne Gb.

Druck: in: Der getreue Music-Meister, Hamburg, (Selbstverlag), 1728 (–29), (Nr. 59), Lektionen 20–21, S. 77 und 84 (Gesamtinhalt und Fundorte s. u. S. 242ff.).

Ausgaben: in B-dur: Duett für 2 Altblockflöten, Mainz, Schott, Ed. 2614 = OFB 99 (D. Degen); Sonata for Treble Recorder and Violin, London, Schott & Co. Ltd., LIB 21 (E. H. Hunt);
in G-dur: Hortus musicus 11, S. 17 (D. Degen); Nagels Musik-Archiv 16 (R. Ermeler); Duett für 2 Melodica piano oder 1 Melodica piano und 1 Violine, Trossingen, Hohner, MU 676, Das Meisterwerk Nr. 2 (F. Jöde).

Anmerkung: Für die B-dur-Fassung ist der französische Violinschlüssel mit zwei ♭, für G-dur Violinschlüssel mit einem Kreuz und für A-dur Altschlüssel mit drei Kreuzen vorgeschrieben.

40: 112–117 6 Duette für Querflöte und Violoncello ohne Gb.

Druck: Hamburg, Selbstverlag, 1735/36.
Kein Exemplar erhalten.

Anmerkungen: Im Amsterdamer Katalog 1733 waren „Duos à Travers. & Violoncello" unter den Edenda aufgeführt. Katalog K 1 vom 4. Januar 1736 verzeichnet als letztes der neueren Telemannischen Werke (vor der Vorankündigung der Ouvertüren, die zu Ostern 1736 erscheinen sollten) „6 Duette für Traver. und Violoncell" mit Angabe des Preises. In Katalog K 2 vom 21. Januar 1736 heißt es abweichend: „Sechs Duette für Traverse und Violoncell mit Ziefern", in Katalog L vom 6. März 1736 „Violonen" statt „Violoncell". Stücke für Flöte und Generalbaß hätte Telemann nicht als Duette, sondern als Soli bezeichnet. Möglicherweise wurde nachträglich eine Bezifferung hinzugefügt, damit die Stücke notfalls auch vom Cembalo statt vom Violoncello ausgeführt werden konnten. Daß der Titel in Katalog M fehlt, darf nicht überbewertet werden; es fehlen hier auch die 20 Kleinen Fugen (30: 1–20) und die Fantasien für die Violine ohne Gb. (40: 14–25).

40: 118–123 6 Sonaten im Kanon für 2 Querflöten oder Violinen oder Gamben ohne Gb.

Vivace
(74 T.)

40:120
Spirituoso
(47 T.)
Larghetto
(21 T.)
Allegro assai
(61 T.)

40:121
Vivace, ma moderato
(58 T.)
Piacevole, non largo
(28 T.)
Presto
(75 T.)

Druck: XIIX Canons mélodieux ou VI Sonates en duo à Flûtes traverses ou Violons ou Basses de Viole, Paris, Selbstverlag, 1738.
F Pc, Vm^7 1284 ^{bis} und Vm^7 6520 (vollständig), K 837 (Fragment: 40: 118 bis 120 2. Satz); **B** Bc, T 5862.

Nachdruck: Six Canons or Sonatas for two German Flutes or two Violins . . ., Opera quinta, London, Simpson, (1746).
GB Lbl, g 401 a (1); **B** Bc, T 12123.

Abschriften: D-brd B, Mus. ms. 21787/5, Mus. ms. 21791, Am. B. 349; 40: 119, 1. Satz als Zweystimmiger Kanon im Einklang oder 8ve für Klavier: **B** Bc, XY 27218, Nr. 23 (nach F.W. Marpurg, Abhandlung von der Fuge, Berlin 1753, S. 94).

Ausgaben: in: TA Bd. 8, S. 58–91 (G. Haußwald), dazu Einzelausgaben Kassel, BA 2981 und 2982; 6 Sonaten, Spielkanons, Heft 2, Wolfenbüttel, Kallmeyer, 1928 und Möseler, M 28012 (R. Budde, Nachwort v. F. Jöde); 6 kanonische Sonaten für 2 Violinen, Leipzig und Frankfurt/Main, Peters, Ed. 4394 (C. Hermann); 6 Sonaten im Kanon für 2 Blockflöten oder andere Melodieinstrumente (Terztransposition), Halle, Mitteldeutscher Verlag und Leipzig, VEB Hofmeister, B 124 (L. Höffer v. Winterfeld); 6 Sonaten im Kanon für 2 Altblockflöten, Mainz, Schott, Ed. 4088 = OFB 98 (G. Richert); Sechs Sonaten im Kanon op. 5 für 2 Altblockflöten (Terztransposition), Kassel, Bärenreiter, BA 8071 und 8072 (M. Harras); in: 6 kanonische Sonaten für 2 Vc. (40: 118 D, 120 G, 123 a, 121 a, 122 D, 119 d), Frankfurt/Main, Peters – London, Hinrichsen, H 1446 (V. Ticciati); Hat kánonszonáta für 2 Fagotte oder andere Tenor-Baß-Instrumentenpaare, Budapest, Zenemükiado/Editio Musica, 1969 (O. Oromszegi); 40: 118 Sonate in Kanonform für 2 Violinen, Wien, Österr. Bundesverlag, 678168, 1950 (F. Pandion); Allegro aus 40: 118 in: Kleine Stücke für 2 Violinen, Mainz, Schott, Ed. 4130 (A. Hoffmann); Presto aus 40: 119 und Presto aus 40: 121 in: Leopold Mozart, 12 Duette für 2 Violinen (aus dem Anhang zur französischen Ausgabe von L. Mozarts Violinschule), Hortus musicus 78 (A. Hoffmann); Ecksätze von 40: 122 und Mittelsatz von 40: 118 in: Sonate im Kanon für 2 Gitarren, Wien und München, Doblinger, GKM 17, 1958 (K. Scheit).

Anmerkungen: Der Pariser Verleger Charles Nicolas Le Clerc hatte am 6. April 1736 ein königliches Privileg erhalten, das ihm erlaubte, neben Kompositionen von Corelli, Vivaldi, Albinoni, Valentini und Händel auch 5 Opera von Telemann zu publizieren; er hatte daraufhin 1736 und 1737 5 Hamburger Publikationen Telemanns nachgedruckt. Um solchen Raubdrucken entgegenzutreten, beantragte Telemann während seines Aufenthalts in Paris 1737–38 ein eigenes Druckprivileg. Es wurde am 31. Januar 1738 im Namen des Königs von Frankreich ausgestellt und am 3. Februar 1738 in der königlichen Kammer registriert. Der Inhalt des sehr wortreich formulierten Privilegs lautet zusammengefaßt: Unser lieber Freund, Herr Telemann, hat uns wissen lassen, daß er wünscht, mehrere Werke mit von ihm komponierter Instrumentalmusik drucken und stechen und veröffentlichen zu lassen, wenn es uns gefallen würde, ihm unsere dafür benötigten Lettres de Privilège zu bewilligen. Wir erlauben ihm hiermit, die besagten Instrumentalwerke drucken zu lassen, in der Art und Weise, verbunden oder getrennt, wie es ihm gut scheint, und sie zu verkaufen, verkaufen zu lassen oder abzusetzen in unserem ganzen Königreich während der Zeit von 20 Jahren, gerechnet vom Tag der Datierung dieses Privilegs an. Wir verbieten allen Personen, von welchem Stand auch immer, danach einen fremden Druck oder Stich an irgendeiner Stelle unseres Reiches zu machen oder sie zu verkaufen und abzusetzen oder nachzudrucken, weder im ganzen noch in Teilen, noch davon Auszüge zu machen, auch nicht vermehrt und mit geändertem Titel oder auf Einzelblättern oder anders, ohne die schriftliche Erlaubnis des Herrn Antragstellers oder derjenigen, die von ihm die Berechtigung erhalten haben. Bei jeder Zuwiderhandlung werden die Exemplare eingezogen und eine Strafe von 3000₶ erhoben, wovon ein Drittel an uns, ein Drittel an das Krankenhaus von Paris und ein Drittel an den Herrn Antragsteller gehen. Die Werke müssen gedruckt werden in unserem Königreich und nicht anderswo, auf gutem Papier und mit guten Typen, entsprechend den Vorschriften und insbesondere dem Gesetz vom 10. April 1725. Bevor sie zum Verkauf kommen, sind an unseren Herrn Kanzler abzuliefern zwei Exemplare für unsere öffentliche Bibliothek, eines für die im Louvre und eines für die unseres Herrn Kanzlers. Wir wollen, daß die Kopie dieses Privilegs am Anfang oder Ende der Werke beigefügt wird. Versailles, 31. Januar 1738. – Registriert im Register 9 der königlichen Kammer, entsprechend dem Reglement von 1723. Paris, 3. Februar 1738.

Auf Grund dieses Privilegs publizierte Telemann in Paris eine Sammlung mit 6 Quartetten (NA in: TA Bd. 19) und die vorliegenden Sonaten im Kanon. Auf dem Titelblatt heißt es: „A Paris, Chés L'Auteur . . ., M.me La Veuve Boivin . . ., Le Sr Le Clerc . . ." An erster Stelle wurde immer der Verleger genannt; bei den anderen Personen konnte man Exemplare kaufen. Der als letzter genannte Buchhändler Le Clerc war der ältere Bruder des Verlegers Charles Nicolas Le Clerc.

Sowohl der Pariser Druck wie der Londoner Nachdruck notieren nur eine Stimme. Einsatzzeichen und Schlußfermate zeigen an, an welchen Stellen die Kanonstimme beginnen und aufhören mußte. Ein „Avertissement" bzw. „NB." erklärte dies ausdrücklich. Die Handschriften **D-brd** B, Mus. ms. 21791 und Am. B. 349 notieren beide Stimmen untereinander in Partitur; Mus. ms. 21791 schreibt im Titel „pour le Clavecin", obwohl in beiden Systemen der Violinschlüssel vorgezeichnet ist und die Stimmen sich häufig kreuzen. Der in dieser Handschrift an die 6. Sonate anschließende „Canone infinito" stammt nicht von Telemann, sondern von Quantz (s. Anh. 40: 103).

Der Londoner Druck bringt die Sonaten in der Reihenfolge G D a d A g. In den drei in Berlin erhaltenen Handschriften sind gegenüber dem Pariser Druck nur die 4. und 5. Sonate ausgetauscht.

In seiner Abhandlung von der Fuga (Berlin, 1753, S. 94) druckt F. M. Marpurg den ersten Satz von 40: 119 als Musterbeispiel für einen Kanon ab und schreibt dazu: „Aus dem bey Fig. 1 Tab. XLV. befindlichen Exempel eines länger ausgearbeiteten endlichen Canons im Einklange wird man sehen können, wie die canonische Schreibart auf die angenehmste Art in Cammersonaten gebraucht werden könne. Wer mehrere Exempel von dieser vortrefflichen Feder haben will, der schaffe sich die 1738 zu Paris gestochenen XVIII Canons melodieux ou VI Sonates en Duo par Mons. Telemann". Zwei Sätze erscheinen 1770 im Anhang der französischen Ausgabe der Violinschule von Leopold Mozart (s. Ausgaben).

Die Bezeichnung „Opera quinta" („Opus 5") ist nur auf die Londoner Telemann-Drucke zu beziehen.

40: 124–129 6 Sonaten für zwei Flöten oder Violinen oder Oboen ohne Gb.

Poco presto
(80T.)
Allegro
(54T.)
40:127
Allegro
6
(42T.)
Andante
3
tr
(70T.)
Vivace
(44T.)
40:128
Allegro
tr
(64T.)
Allegremente
3
(70T.)

Druck: Second Livre de Duo pour deux Violons, Fluites ou Hautbois, Paris, Blavet, (1752).
F Pmeyer; **I** Bc.

Abschrift: VI Sonates per il Flauto Traversiere Primo, Flauto Traversiere Secondo.
D-ddr Dlb, Mus. 2392/P/1.

Ausgaben: in: TA Bd. 7, S. 2–39 (G. Haußwald), dazu Einzelausgaben Kassel, BA 2975 und 2976; 6 Sonatas for 2 flutes, Series 1, New York, Intern. Music Comp., Nr. 2791 und 2792 (J. P. Rampal); Sechs Duette für Altblockflöten (Terztransposition), Neuhausen-Stuttgart, Hänssler, HE 11219 (K. Hofmann); 40: 125–128 in: Ausgewählte Sonaten für 2 Querflöten, Kassel, BA 4417 (G. Haußwald).

Anmerkungen: Der Verleger Blavet hatte 1737/38 als Flötist mitgewirkt an den Aufführungen von Telemanns Flöten-Quartetten (vgl. Autobiographie 1739). Vermutlich gehörte er zu jenen Pariser „Virtuosen", von denen Telemann sagt, sie hätten an etlichen seiner gedruckten Werke Geschmack gefunden und ihn nach Paris eingeladen. Die Edition der 6 Sonaten erfolgte im Einvernehmen mit Telemann; denn am 29. April 1752 meldete der Hamburgische Correspondent: „Es sind in Paris sechs neue Telemannische Duette für Traversieren oder Violinen in Kupferstich herausgekommen und in Hamburg bey deren Verfasser für drey Gulden sechs Ggr. zu bekommen"

40: 130–135 6 Duette für zwei Flöten ohne Gb.

40:132
Grave
tr
(38T.)
Allegro
(40T.)
Dolce
(22 T.)
Vivace
(72 T.)
40:133
Adagio
(22 T.)
Allegro
(56T.)
Larghetto
(26 T.)
Presto
(66T.)

40:134
Moderato
(66 T.)
Presto
(93T.)
Amoroso
(40 T.)
(54T.)

40:135
Andante con affetto
(26T.)
Vivace
(74T.)
Amoroso
(54T.)
Presto
(64T.)

Abschrift: Sei Duetti per il Flauto Traverso Primo, Flauto Traverso Secondo.
D-brd B, Mus. ms. 21787.

Ausgaben: in: TA Bd. 7, S. 42–85 (G. Haußwald), dazu Einzelausgaben Kassel, BA 2977 und 2978; 6 Sonatas for 2 flutes, New York, Intern. Music Comp., Nr. 2746 und 2747 (J. P. Rampal); 40: 131, 132, 135 in: Ausgewählte Sonaten für 2 Querflöten, Kassel, BA 4417 (G. Haußwald).

40: 200 Quartett A-dur für zwei Violinen, Viola und Violone (Violoncello) ohne Gb.

Abschrift: D-brd DS, Mus. ms. 1042/19.

Ausgabe: Hortus musicus 108 (H. C. Wolff).

Anmerkungen: In der einzigen erhaltenen Quelle fordert die Überschrift zwar den Violone. Man wird aber nicht nur, wie der Herausgeber der NA einräumt, die Kontrabaßstimme heute ohne weiteres mit einem Violoncello besetzen können, sondern sie so besetzen müssen, da ihr Umfang in der Tiefe bis zum D reicht. Auch vom Klang her liegt diese Besetzung näher. Daß Telemann an eine Ausführung ohne Generalbaß gedacht hat, zeigen die zahlreichen Doppelgriffe in den Violinen und in der Viola.

40: 201 Konzert G-dur für vier Violinen ohne Gb.

Abschrift: **D-brd** DS, Mus. ms. 1033/97.

Ausgaben: in: TA Bd. 6, S. 63–69 (G. Haußwald), dazu Einzelausgabe Kassel, BA 2974; in: Musikschätze der Vergangenheit, Berlin, Vieweg, V 1992 (W. Upmeyer); Leipzig und Frankfurt/Main, Peters, Ed. 9098 (M. Fechner); Bearbeitung für 4 Violinen und Klavier, Berlin, Raabe und Plotho, 1920 (H. von Dameck).

40: 202 Konzert D-dur für vier Violinen ohne Gb.

Abschrift: D-brd DS, Mus. ms. 1033/108.

Ausgaben: in: TA Bd. 6, S. 71–76 (G. Haußwald); in: Hortus musicus 20 (H. Engel); in: Musikschätze der Vergangenheit, Berlin, Vieweg, V 1993 (W. Upmeyer).

40: 203 Sonate C-dur für vier Violinen ohne Gb.

Abschrift: **D-brd** DS, Mus. ms. 1042/59.

Ausgaben: in: TA Bd. 6, S. 54–61 (G. Haußwald), dazu Einzelausgabe Kassel, BA 2973; in: Antiqua, Mainz, Schott, Ed. 3708 (W. Friedrich); Leipzig und Frankfurt/Main, Peters, Ed. 9097 (M. Fechner).

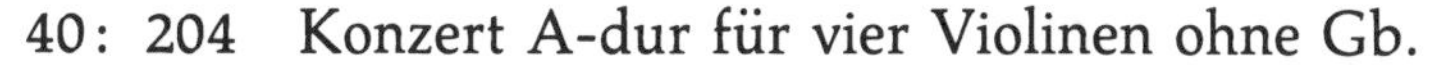

40: 204 Konzert A-dur für vier Violinen ohne Gb.

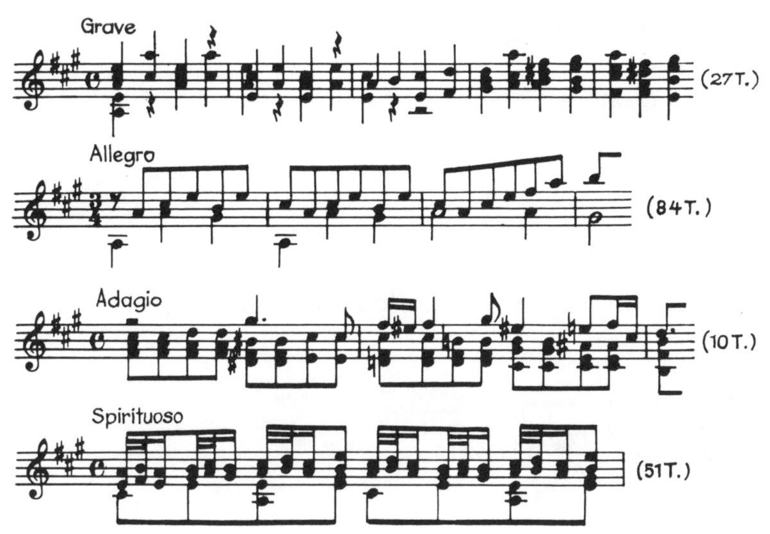

Abschrift: nicht mehr nachweisbar.

Ausgabe: Concerto a 4 Violini senza Basso, in: Antiqua, Mainz, Schott, Ed. 3876, 1951 (W. Friedrich).

Anmerkungen: Nach den Worten des Herausgebers soll der NA eine aus **D-brd** DS stammende (nicht näher bezeichnete) Handschrift zugrundeliegen, die heute nicht mehr auffindbar ist. G. Haußwald hat die Echtheit bezweifelt und das Konzert nicht in die TA aufgenommen.

Anh. 40:

Sonate B-dur für Blockflöte und Viola oder Gambe ohne Gb. oder A-dur für Querflöte oder Violine und Viola oder Gambe ohne Gb.

= Alternativ-Besetzungen der Sonate B-dur für Viola oder Gambe und Gb., s. 41: B 3

Gamben-Studien

Wiesbaden, Breitkopf & Härtel, Ed. 6578 (F. Längin)
= nur die Gambenstimme aus drei Orchesterwerken Telemanns

Lied für 2 Violoncelli

in: Leichte Cello-Duette, Mainz, Schott, Ed. 5276 (Bendik und Storck)
= „Man fragte Phyllis einst" aus den Singe- Spiel- und Generalbaß-Übungen

Napolitaine und Menuett für 3 Blockflöten

in: Kleine Stücke für 2 Blockflöten, Kassel, BA 865 (A. Hoffmann)
= Bearbeitung von 2 Sätzen aus der Orchestersuite 55: g 1

Menuett F-dur für 3 Blockflöten

in: Aus Barock und Rokoko, Spielstücke für 3 Altblockflöten, Mainz, Schott, Ed. 5298 (J. Runge)
= Trio zum Menuett aus der Klaviersuite 32: 16

Anh. 40: 101 Sonate e-moll für zwei Querflöten ohne Gb.
Anh. 40: 102 Sonate fis-moll für zwei Querflöten ohne Gb.

Abschrift: **DK** Kk, mu 6211.1243.
= Triosonaten, denen Gb.-Stimme fehlt (s. Abt. 42)

Anh. 40: 103 Zirkelkanon e-moll für zwei Querflöten oder zwei Violinen

Abschrift: Canone infinito, **D-brd** B, Mus. ms. 21791, anschließend an die Sonaten im Kanon 40: 118–123.

Ausgabe: in: TA Bd. 8, S. 92–93 (G. Haußwald).

Anmerkungen: Der Kanon bildet nicht den vierten Satz der Sonate 40: 123, sondern stammt von Quantz und wurde von diesem veröffentlicht in: Sei Duetti a due Flauti traversi, Berlin, G. L. Winter, 1759.

Anh. 40: 104 Bergerie und Bourrée G-dur für Flöte und Oboe ohne Gb.

Druck: in: Duo Choisis de Brunettes, de Menuets & d'autres Aires . . ., propres pour la Flute & le Hautbois, Paris 1728, J. B. C. Ballard, Livre Premier, S. 10–12.
F Pn, Vm⁷ 6585 (1).

Anmerkungen: Eine Vorlage ist nicht bekannt. Das Inhaltsverzeichnis nennt als Komponisten „THEELMAAN". Daß man Stücke Telemanns, die nicht in Drucken verbreitet waren, schon 1728 in einen Pariser Sammeldruck aufgenommen hätte, ist unwahrscheinlich.
Am Schluß der Bourrée findet sich der Hinweis: „Cette pièce & la suivante, étant étrangeres, sont encore à parodier".

41: Kammermusik für 1 Instrument und Gb.

41: C 1 Air C-dur für Trompete und Gb.

Druck: in: Der getreue Music-Meister, Hamburg, (Selbstverlag), 1728 (–29), (Nr. 18), Lektion 6, S. 23 (Gesamtinhalt und Fundorte s. u. S. 242ff.).

Ausgaben: in: Hortus musicus 7, S. 16 (D. Degen); in: Drei Trompetenstücke, Alte Meister Nr. 5, Halle, Mitteldeutscher Verlag (P. Rubardt).

41: C 2 Sonate C-dur für Blockflöte und Gb.

Druck: in: Der getreue Music-Meister, Hamburg, (Selbstverlag), 1728 (–29), (Nr. 56), Lektion 19–20, S. 73 u. 80 (Gesamtinhalt und Fundorte s. u. S. 242ff.).

Ausgaben: in: Hortus musicus 6, S. 23–28 (D. Degen); Leipzig, Rieter-Biedermann, Ed. 11369 (D. Degen); Leipzig und Frankfurt/Main, Peters, Ed. 4550 (D. Degen); in: Sonatas 1–4 from Der getreue Music-Meister, London, Schott & Co. Ltd., Ed. 11238 (W. Bergmann); in: 4 Sonaten für Altblockflöte, Leipzig und Frankfurt/Main, Peters, Ed. 9438 (J. Gerdes); in: 4 Sonaten für Altblockflöte und Bc., Winterthur, Amadeus, GM 666 (W. Michel); London, Schott & Co. Ltd., Ed. 10367 (E. H. Hunt und W. Bergmann) und Ed. 10875 (W. Bergmann); Sonate C-dur für Blockflöte und Gitarre, Frankfurt/Main, Zimmermann, ZM 1342 (S. Behrend); Sonata (transponiert nach Es-dur) per fagotto e piano-forte, Budapest, Zenemükiado Vallatat, Z 4724, 1966 (I. Rudas).

41: C 3 Sonate C-dur für Querflöte oder Violine und Gb.

Druck: in: Continuation des Sonates méthodiques, Hamburg, (Selbstverlag, 1732).
enthält 41: h 3, c 3, E 5, B 5, d 2, C 3.
Bis 1945: **D-ddr** Bds, Mus. 12325; nach H. Graeser besaß 1924 die Bibliothek Heyer in Köln ein Exemplar; Kopie nach einem Exemplar des ehem. Bückeburger Forschungsinstituts heute vorhanden in **D-brd** Bim.

Ausgaben: in: TA Bd. 1, S. 114–126 (M. Seiffert), dazu Einzelausgabe, Kassel, BA 2246; in: Zwölf methodische Sonaten, Leipzig und Frankfurt/Main, Peters, Heft 2, Ed. 4664b (J. Gerdes); 3. Satz (Presto) in: Andante and Presto (transponiert nach B) for oboe and piano, San Antonio, Texas, Southern Music Comp., ST 131 (L. W. Chidester).

Anmerkungen: Am 26. 11. 1732 wurde im Holsteinischen Correspondenten mitgeteilt, daß die Fortsetzung der Methodischen Sonaten zu bekommen sei. Im Katalog F 1 werden sie unter den erschienenen Instrumentalwerken geführt. Das Widmungsvorwort ist unterzeichnet am 12. 11. 1732. Gewidmet war das Werk den Brüdern Rudolf und Hieronymus Burmester, von denen der ältere, Rudolf, im März 1732 zum Hamburger Bürgerkapitän gewählt worden war (zur Stellung der Hamburger Bürgerkapitäne und zu Telemanns Kapitänsmusiken vgl. W. Maertens, Georg Philipp Telemanns Kapitänsmusiken, Diss. Halle/Saale 1975, mschr.).
Während die Sonate metodiche (s. 41: D 3) für Violino oder Flauto traverso bestimmt waren, nennt das Titelblatt der Continuation des Sonates méthodiques die beiden Instrumente in der umgekehrten Reihenfolge. M. Seiffert (Vorwort zu TA Bd. 1) hat nachgewiesen, daß Telemann tatsächlich bei der Continuation vorwiegend an eine Ausführung durch die Querflöte gedacht hat, ausgenommen 41: E 5.
Zum Terminus „methodisch" s. Anmerkungen zu 41: D 3.

41: C 4 Sonate C-dur für Violine oder Querflöte und Gb.

Druck: in: XII Solos à Violon ou Traversière, avec la Basse chiffrée, (Hamburg, Selbstverlag, 1734).
enthält 41: F 3, e 4, A 5, C 4, g 7, D 8, d 3, G 8, h 5, E 6, a 5, fis 1.
D-brd JE, A 19; **B** Bc, S 12070; bis 1945 **D-ddr** Bds, Mus. 12364.

Abschrift: D-brd B, Mus. ms. 21788.

Ausgaben: Zwölf Sonaten für Violine oder Querflöte und Bc., Wilhelmshaven, Heinrichshofen – New York, Peters – London, Hinrichsen, 4 Hefte N 1327–1330, 41: C 4 in Heft 2, N 1328 (H. Kölbel, Gb.-Aussetzung E. Meyerolbersleben).

Anmerkungen: Katalog F 1 (1733) nennt das Werk als erstes unter den Edenda. Katalog F 2 (1734), der ja im wesentlichen nur eine Übersetzung von F 1 darstellt, führt es an derselben Stelle, fügt aber schon den Preis hinzu. In beiden Katalogen und auch in der Autobiographie 1739 wird im Gegensatz zum Titelblatt zuerst die Flöte und dann die Violine genannt. Das Widmungsvorwort ist datiert 1. März 1734. Gewidmet ist der Druck „A Messieurs Mr. Rudolfe, Mr. Jerôme, Mr. Jean Guillaume Burmester"; zweien dieser drei Brüder hatte Telemann auch die Continuation des Sonates méthodiques gewidmet (s. Anmerkungen zu 41: C 3).

41: C 5 Sonate C-dur für Blockflöte und Gb.

Druck: (Nr. 19) in: Essercizii Musici overo Dodeci Soli e Dodeci Trii à diversi stromenti, Hamburg, Selbstverlag (1739/40).
Gesamtinhalt und Fundorte s. 32: 3.

Ausgaben: in: Zwei Sonaten für Blockflöte und Bc., Leipzig, Rieter-Biedermann, Ed. 11323 sowie Leipzig und Frankfurt/Main, Peters, Ed. 4551 (W. Woehl); Sonate C-dur, Mainz, Schott, Ed. 5330 = OFB 103 (H. Ruf); in: Zwei Sonaten für Blockflöte und Gitarre, Hamburg, Sikorski, 365 (S. Behrend).

41: C 6 Sonate C-dur für Violine und Gb.

Abschrift: Nr. 4 in: 16 Sonaten à Violino e Continuo, **D-brd** B, N. Mus. ms. 10353.
enthält 1. 41: D 1, 2. G 1, 3. g 1, 4. C 6, 5. C 7, 6. G 10, 7. e 8, 8. c 5, 9. g 11, 10. d 6, 11. E 7, 12. B 8, 13. A 8, 14. c 4, 15. d 7, 16. A 9.

Ausgabe: in: Vier Sonaten für Violine und Bc., Halle, Mitteldeutscher Verlag, V 1073 sowie Leipzig und Frankfurt/Main, Peters, Ed. 5644 (G. Frotscher).

Anmerkungen: Von den 16 Sonaten der Handschrift sind 4 auch in anderen Quellen als Werke Telemanns überliefert. Die drei ersten sind identisch mit drei Sonaten (Nr. 2, 4 und 1) aus Telemanns erster Druckpublikation, den Six Sonates à Violon seul (41: D 1, G 1 und g 1). Nr. 8 existiert auch in einer Brüsseler Handschrift (41: c 5). Von den übrigen Sonaten erinnern Nr. 6, 7, 9 und 10 in Einzelheiten an Telemanns Kompositionsweise; der Anfang des ersten Satzes von Nr. 9 ist identisch mit dem Anfang der in einer Dresdener Handschrift überlieferten Sonate 41: g 10. Die Sonaten Nr. 11 bis 16 weichen dagegen insbesondere in der Melodik der schnellen Sätze so erheblich von Telemanns Stil ab, daß ihre Echtheit bezweifelt werden muß.
Erst 1976 gelangte die Handschrift über die Autographenhandlung J. A. Stargardt in den Besitz der Staatsbibliothek Preußischer Kulturbesitz Berlin. Sie war aber schon 1951 von G. Frotscher ausgewertet worden. Mit den 4 Sonaten für Violine und Klavier, zuerst erschienen im Mitteldeutschen Verlag Halle, hat er die ersten vier Sonaten der Handschrift ediert. Die ersten drei erscheinen nicht in der Reihenfolge von Telemanns Druckausgabe, sondern in der Handschrift, und seine Sonate IV ist sonst nicht überliefert.

41: C 7 Sonate C-dur für Violine und Gb.

Abschrift: D-brd B, N. Mus. ms. 10353, Nr. 5 (Gesamtinhalt und Anmerkungen s. 41: C 6).

Anh. 41: C Sonate C-dur (im Kanon) für Blockflöte und Gb.

= 41: B 3.

Anh. 41: C 1 Suite C-dur für Sopranblockflöte oder ein anderes Melodieinstrument und Klavier

Zürich, Zum Pelikan, PE 746 V, 1961 = Musica instrumentalis, Heft 7 (H. Mönkemeyer)
= Zusammenstellung von Sätzen aus den Orchestersuiten 55: D 11 und C 1

Anh. 41: C 2 Suite C-Dur für Altblockflöte oder ein anderes Melodieinstrument und Klavier

Musica instrumentalis, Heft 10, Zürich, Zum Pelikan, PE 850 (H. Mönkemeyer)
= Zusammenstellung von Sätzen aus den Orchestersuiten 55: G 12 und A 2

Anh. 41: C 3 Fanfare C-dur für Violoncello und Klavier

Klassische Stücke für den Anfang, Heft I, Mainz, Schott, Ed. 4918 (P. Such)
= Bearbeitung des 5. Satzes der Orchestersuite 55: A 2

41: c 1 Partia c-moll für Violine oder Querflöte oder Oboe und Gb.

Druck: in: Kleine Cammer-Music, bestehend aus VI Partien, welche vor die Violine, Flûte traverse, wie auch vors Clavier, besonders aber vor die Hautbois nach einer leichten und singenden Art, also daß sich so wohl ein Anfänger darinnen üben als auch ein Virtuose darmit hören lassen kan, eingerichtet und verfertiget sind durch Georg Philipp Telemann, Capellmeistern in Frankfurt am Mayn, In der Herbst-Messe 1716. In Verlegung des Autoris. Druckts Johann Philipp Andreä.
enthält 41: B 1, G 2, c 1, g 2, e 1, Es 1.
D-ddr Bds, Mus. 13087 Rara.

Neuauflage (Stich): La Petite Musique de Chambre, die kleine Cammer-Music, Hautbois ou Violon ou Flute traverse ou Clavessin, avec la Basse chiffrée, (Hamburg, Selbstverlag, 1728).
D-brd DS, Mus. 1032; **D-ddr** Bds, Mus. 0.10611 Rara; **B** Bc, V 7120.

Abschrift: D-ddr SWl, 5401.

Ausgaben: in: Die kleine Kammermusik, Hortus musicus 47 (W. Woehl); in: Kleine Kammermusik, Heft 1, Bad Godesberg, Rob. Forberg, 1956 (R. Lauschmann); in: Kleine Kammermusik, Leipzig und Frankfurt/Main, Peters, Ed. 9232 (J. Gerdes); Partita Nr. 3 c-moll, London, Faber Music, FM 351 (W. Bergmann).

Anmerkungen: In Katalog B (1726) erscheint zwar bereits der französische Titel; der Hinweis „imprimée en fol." zeigt aber, daß es sich noch um den Erstdruck handelte. Erst am 24. Juli 1728 meldete der Holsteinische Correspondent: „Auch ist eine neue Edition auf Kupfer-Art heraus, die kleine Kammer-Music genannt, so auf verschiedene Instrumenten gespielet werden und wegen des gleichen Formats zu denen Menueten gebunden werden kann". Katalog C (1728) registriert das Werk zwar unter dem deutschen Titel, doch mit dem Zusatz „nach Kupfer-Ahrt, in Octavo"; gemeint ist also die Neuauflage.
Widmung der Erstausgabe: Herrn François le Riche, wie auch Herrn Francisco Richtern, Beyderseits Sr. Königlichen Majestät von Polen und Chur Fürstlichen Durchläucht von Sachsen bestallten Cammer-Musicis, so dann Herrn Peter Glösch, Sr. Königlichen Majestät von Preußen bestalltem Cammer Musico, und endlich Herrn Michael Böhmen, Sr. Hoch-Fürstlichen Durchl. Landgraffens von Hessen-Darmstadt bestalltem Cammer Musico, meinen allerseits hochzuehrenden und hochgeschätzten Herren und Freunden!
Messieurs! Daß dieselben mein Unterfangen, indem Ihnen gegenwärtige kleine Cammer Music dedicire, gütigst ansehen werden, glaube so zuversichtlich, als gewisse Proben von dero nie genug zu rühmenden Güte und Höfflichkeit ich zu kennen die Ehre habe. Ob aber die Arbeit an sich selbst Dero Beyfall erwerben werde, stehet zu erwarten. Denn denen selben gnug zu thun, deren Virtu von der halben Welt bewundert wird, ist eine Sache von großer Wichtigkeit. Zwar bin ich nicht gantz sonder Hoffnung, in massen bey deren Verfertigung denjenigen Goût, dessen Dieselben sich auf der Hautbois zu bedienen pflegen und von welchem ich zum öffteren auf eine unaussprechliche Art bin gerühret worden, mir zur Richtschnur vorgesetzet. Zu dem Ende habe den Ambitum so enge als möglich gewesen, eingeschlossen, zu weit entfernte Sprünge wie auch bedeckte und unbequeme Tone vermieden, hingegen die brillirenden, und welche von der Natur an unterschiedenen Orten in dieses delikate Instrument geleget sind, offt anzubringen gesuchet. Hiernächst habe mich in den Arien der Kürtze beflissen, theils um die Kräfte des Spielers zu menagiren, theils auch um die Ohren der Zuhörer durch die Länge nicht zu ermüden. Von der Harmonie muß zwar gestehen, daß sie wenig oder nichts chromatisches, sondern nur natürliche und ordinäre Gänge hat; dieses aber ist denen und also den meisten zu gefallen geschehen, welche in der musikalischen Wissenschaft noch nicht gar zu weit kommen sind. Enfin, ich habe getrachten, allen etwas nach ihrem Geschmack vorzulegen. Ist mein Zweck nicht erreichet, so habe doch getan, was ich gekonnt. Zum wenigsten bin ich gewiss, Messieurs, daß, wann Dieselben dieses Werk ihrer fürtrefflichen Execution würdigen werden, solches, so unvollkommen es auch seyn mag, dadurch ein Leben, der Liebhaber Vergnügen, und ich meinen Wunsch erlangen muß. Schließlich bitte nochmals, diese Blätter geneigt und als ein Merckmal der Ehrerbietigkeit und Liebe von mir anzunehmen und mich, wie bißher, also auch künftig mit Dero hochgeschätzten Gewogenheit zu beehren, der ich Zeit Lebens verharre, Messieurs, Votre très humble et très obeissant Serviteur Georg Philipp Telemann.
Franckfurt am Mayn, den 24. Sept. 1716.

Alle Partien sind auch überliefert in Telemann zugeschriebenen Orchesterfassungen. Sie bilden hier die Folgesätze von Orchester-Ouvertüren; den Sätzen einer jeden Partia einschließlich des einleitenden Preludio ist eine Ouvertüre vorangestellt. Die ungewöhnliche Satzanordnung (Preludio zwischen Ouvertüre und einer Folge von Arie) legt die Annahme nahe, daß die Ouvertüren nachträglich hinzugefügt worden sind und daß die Fassung für ein Soloinstrument und Generalbaß die ursprüngliche gewesen ist (vgl. Abt. 55: B 2, G 11, c 3, g 3, e 6 und Es 5).
Die Aria 3 der Partia 41: c 1 hat Telemann parodiert im Refrain des Quintetts „Voi sfiorandovi ci mostrate" seiner 1721 in Hamburg aufgeführten Oper Der geduldige Socrates (vgl. TA Bd. 20, S. 203).

41: c 2 Sonatine c-moll für Blockflöte oder Fagott oder Violoncello und Gb. oder für Klavier

Druck: in: Neue Sonatinen, (Hamburg, Selbstverlag, 1730/31).
DK Kk, mu 6608.0331 (nur Melodiestimme).
enthält 41: e 3, c 2, D 7, G 7, a 4, E 4.

Anmerkungen: Der Druck wird zum erstenmal in Katalog D (30. November 1731) erwähnt, in dem die 20 Kleinen Fugen, deren Vorwort 24. 9. 1731 datiert ist, als letztes Werk erscheinen. Katalog D registriert Neue Sonatinen fürs Clavier, Violine, Flûte trav. und Flûte à bec, Katalog E Neue Sonatinen, fürs Clavier oder Violine oder Traversiere, worunter zwey für die Flûte à bec nebst Basse. In der in Kopenhagen aufgefundenen Einzelstimme, die alle Merkmale der Telemann-Stiche aufweist, sind die Sonatina seconda und die Sonatina quinta für Flauto dolce o Fagotto o Violoncello bestimmt, die Sonatinen 1, 4 und 6 für Violino o Flauto traverso und die Sonatina terza für Flauto traverso o Violino.

41: c 3 Sonate c-moll für Querflöte oder Violine und Gb.

Druck: in: Continuation des Sonates méthodiques, Hamburg (Selbstverlag, 1732). Gesamtinhalt und Fundorte s. 41: C 3.

Ausgaben: in: TA Bd. 1, S. 72–81 (M. Seiffert), dazu Einzelausgabe Kassel, BA 2244; Organum Reihe III Nr. 7 (M. Seiffert); in: Zwölf methodische Sonaten, Heft 2, Leipzig und Frankfurt/Main, Peters, Ed. 4664b (J. Gerdes); in: Four Sonatas for Flute and Piano, New York, Schirmer, 1953 (M. Wittgenstein); Sonata B clarinete and piano or B tenor saxophone and piano, Chicago, Rubank, 1963 (H. Voxman und R. Harvig); 4. Satz (Ondeggiando) in: Andante and Presto for oboe and piano, San Antonio, Texas, Southern Music Comp., ST 131 (L. W. Chidester).

41: c 4 Sonate c-moll für Violine und Gb.

Abschrift: Nr. 14 in **D-brd** B, N. Mus. ms. 10353.
Gesamtinhalt und Anmerkungen s. 41: C 6.
Echtheit fraglich.

41: c 5 Sonate c-moll für Violine und Gb.

Abschriften: Nr. 8 in **D-brd** B, N. Mus. ms. 10353 (Gesamtinhalt und Anmerkungen s. 41: C 6); **B** Bc, T 13318 (Abschrift aus dem Jahre 1906, „mise en partition d'après des parties separées de l'epoque").

41: c 6 Sonate c-moll für Violine oder Oboe und Gb.

Abschrift: **D-brd** PA, Fü 3628a (Ms. 36).

Ausgabe: Leipzig, Breitkopf & Härtel, 4176 = Kammersonaten Nr. 13 (J. Ph. Hinnenthal).

41: D 1 Sonate D-dur für Violine und Gb.

Druck: in: Six Sonates à Violon seul, accompagné par le Clavessin, Frankfurt/Main, Selbstverlag, (1715). enthält: 41: g 1, D 1, h 1, G 1, a 1, A 1.
D-brd, DS, Mus. 1043.

Nachdrucke: Solos for a Violin with a Thorough Bass for the Harpsicord or Bass Violin, Opera prima (Reihenfolge: g, D, h, a, G, A), London, Walsh & Hare, (1722).
GB Lbl, g.422.j.(1); Cu.
(als Nr. 1–6 zusammen mit Solos for a Violin . . ., Opera seconda [s. 41: d 5] in:) XII Solos for a Violin with a Thorough Bass for the Harpsicord or Bass Violin, Opera prima, London, Walsh, Ed. 417 (um 1735).
GB Lbl, g.422.i.(2); Lam; **S** Skma, B 78; **US** Wc, M 219.T3.
Six Sonates à Violon seul, accompagné par le Clavessin, composées par George Philippe Telemann, Directeur de la Musique à Hambourg, (Druck; Reihenfolge wie Nachdruck London, 1722), (Hamburg, Selbstverlag, nach 1721).
B Bc, T 5821; bis 1945 **D-ddr** B, Mus. 9588.

Abschrift: Nr. 1 der 16 Sonaten **D-brd** B, N. Mus. ms. 10353 (s. 41: C 6).

Ausgaben: in: Sechs Sonaten für Violine und Bc., Celle, Moeck, 1101 = Moecks Kammermusik Nr. 101 (J. Baum); in: Sechs Sonaten für Violine und Bc., Mainz, Schott, Ed. 4221 (W. Friedrich); in: Six Sonatas for Violin, with Piano acc., Bryn Mawr, Pa., T. Presser, 1957 (L. Kaufman); in: Vier Sonaten für Violine und Bc., Halle, Mitteldeutscher Verlag, V 1070 sowie Leipzig und Frankfurt/Main, Peters, Ed. 5641 (G. Frotscher).

Anmerkungen: Der Erstdruck war gewidmet S. A. S. Monseigneur le Prince Jean Erneste, Duc de Saxe, Juliers, Cleves, Bergues, Angarie, et de Westphalie, Landgrave de Thuringe, Margrave de Misnie, Prince de Henneberg, Comte de la Marche et de Ravensberg, Seigneur de Ravenstein. Der Widmungstext lautet:

Monseigneur, Je ne suis pas sans crainte en dédiant ces Sonates à V. A. S. C'est, Mgnr., que sans parler de la vivacité de Vôtre esprit sublime, Vous avez le goût si sûr dans ce bel art, qui seul a l'avantage d'être éternel, qu'il est très malaisé de faire un ouvrage, qui merite Vôtre aprobation. Du moins Mgnr. je me flatte, que V. A. S. aura pour agréable l'intention que j'ai de reconnoitre en quelque sorte par ce present, que je Lui fais des premieres pièces, que je rends publiques, la bienveillance dont Elle a jusqu'ici daigné m'honorer. Si avec cela, Mgnr., mon travail a le bonheur de vous plaire, je suis assuré des suffrages de tous les connoisseurs, parce qu'aucun d'eux n'aura l'assûrance d'apeller d'un jugement, aussi savant, que l'est celui de V. A. S. La beauté des Concerts, que Vous avez faits dans un âge si peu avancé, est admirée, Mgnr., de ceux qui les ont vus, et m'est un garant de ce que j'avance. Le zele, Mgnr., que j'ai, pour V. A. S. voudroit m'emporter à faire ici l'eloge de la maniere glorieuse, dont Vous suivez les traces de Vos illustres Ancêtres, mais outre que le public est instruit de la beauté de Vôtre ame, de la penétration de Vôtre esprit, de la bonté de Vôtre cœur, et d'un nombre infini de belles qualités, que Vous possedez, je craindrois de blesser Vôtre sage modestie, et je suis trop convaincû de mon peu de forces pour m'y engager. Il ne me reste donc, Mgnr., qu'a Vous prier tres humblement de me continuer l'honneur de Vos bonnes graces, puisque je ne cesserai d'être avec la plus profonde vénération et tous les respects imaginables, Monseigneur, de V. A. S. le très humble et très obéissant Serviteur George Philippe Telemann. A Francfort ce 24. Mars. 1715.

Prinz Johann Ernst von Sachsen-Weimar, auch aus J. S. Bachs Lebensgeschichte bekannt, hatte von Johann Gottfried Walther Kompositionsunterricht erhalten. Ihm hatte Walther 1708 seine Praecepta der musicalischen Composition gewidmet. Der Prinz starb 19jährig noch im August 1715. Sechs hinterlassene Violinkonzerte wurden 1718 von Telemann veröffentlicht. (**D-ddr** ROu, Mus. saec. XVII. 18.45[6]; **D-ddr** WRtl; **S** LB). Zwei davon hat J. S. Bach für Klavier bearbeitet (BWV 982 und 987).
In seinen Katalogen B und C (1726 und 1728) bezeichnet Telemann die Six Sonates ausdrücklich als Stich. Die zweite Ausgabe mit dem französischen Titelblatt, auf dem Telemann als Hamburger Musikdirektor bezeichnet wird, ist aber ein Druck, der ebenso wie der Londoner Nachdruck (1722) die vierte und fünfte Sonate vertauscht. Möglicherweise ist einigen Londoner Exemplaren ein Hamburger Titelblatt vorgeheftet worden.

41: D 2 Sonatine D-dur für Violine und Gb.

Druck: in: Sei Suonatine per Violino e Cembalo, (Frankfurt/Main, Selbstverlag, 1718), 2 StB.
enthält 41: A 2, B 2, D 2, G 3, E 1, F 1.
D-ddr SWl, 5405; **B** Bc, F. A. VI. 42 (T 5822).

Nachdrucke: Sei Sonatine per Violino e Cembalo, Amsterdam, Le Cène, Nr. 516, (1724/25), Part.
GB Lbl, g.401.b; **S** LB; **I** Rsc.
VI Sonatine per Violino e Cembalo, Paris, Le Clerc, 1737.
I Gi.

Abschriften: D-ddr LEm, III.12.17 (von 41: E 1 fehlt in Violinstimme der 3. und 4. Satz); **H** Bn.

Ausgaben: in: Sei Suonatine per Violino e Cembalo, Leipzig und Frankfurt/Main, Peters, Ed. 9096 (W. Maertens, Gb.-Einrichtung W. H. Bernstein); in: Sechs Sonatinen für Violine und Bc., Mainz, Schott, Ed. 2783 (K. Schweickert und G. Lenzewski); in: Sei Sonatine per Violino e Pianoforte, London u. New York, Hawkes, 1954 (L. Kaufman).

Anmerkungen: Erwähnt als veröffentlichtes Werk in der Autobiographie 1718 (Katalog A). Das Widmungsvorwort ist datiert 12. Sept. 1718. Gewidmet waren die Sonatinen „Al merito inpareggiabile di Sua Eccell.zza Il Sig.r Conte Henrico XI Reuss reggente della linea più giovine, Conte e Sig.re di Plauen, Sig.re di Graitz, Crannichfeld, Gera, Schlaitz e Lohenstein". Zur Datierung des Amsterdamer Nachdrucks vgl. P. Lesure, Bibliographie des éditions musicales publiées par E. Roger et M. Ch. Le Cène, Paris 1969. Der Pariser Nachdruck ist auf dem Titelblatt datiert. Es handelt sich um einen der fünf Drucke, die Ch. N. Le Clerc vor Telemanns Paris-Reise veröffentlicht hatte (s. Anmerkungen zu 40: 118–123).

41: D 3 Sonate D-dur für Violine oder Querflöte und Gb.

Druck: in: Sonate metodiche à Violino solo o Flauto traverso . . ., Opera XIII, (Hamburg, Selbstverlag, 1728).
enthält 41: g 3, A 3, e 2, D 3, a 2, G 4.
D-brd B, Am.B.350; DS, Mus. 1041; **B** Bc, T 5824; **S** Skma, C 1–R.

Nachdruck: In den Verlagskatalogen des Pariser Verlegers Ch. N. Le Clerc erscheinen seit etwa 1743/45 Sonates à Violon seul e basse, 13e Œuvre von Telemann. Von diesem Druck hat sich kein Exemplar erhalten. Da Le Clerc keine eigenen Opus-Zahlen verwendet, handelt es sich vermutlich um einen Nachdruck der Sonate metodiche.

Ausgaben: in: TA Bd. 1, S. 30–41 (M. Seiffert), dazu Einzelausgabe Kassel, BA 2242; in: Zwölf methodische Sonaten, Heft 1, Leipzig und Frankfurt/Main, Peters, Ed. 4664a (J. Gerdes).

Anmerkungen: Am 13. April 1728 wurde das Erscheinen der Sonate metodiche im Holsteinischen Correspondenten angezeigt. Erst nach diesem Termin sind die drei Publikationen erschienen, die im Katalog C (1728) nach den Sonate metodiche aufgeführt sind; dasselbe gilt für die Neuauflage von La Petite Musique de Chambre. Tatsächlich handelte es sich bei den Sonate metodiche um Telemanns 10. Publikation. Auf die im Titel angegebene Opuszahl 13 käme man, wenn man die drei vor 1728 in ausländischen Verlagen veröffentlichten Telemann-Drucke hinzuzählt (s. 41: D 1, D 2, d 5).
Der Titel will besagen, daß Telemann hier die Methode, wie man die Melodiestimmen langsamer Sätze auszieren und variieren kann, an Beispielen demonstriert. In den viersätzigen Sonaten ist die Melodiestimme des langsamen ersten Satzes in einer unverzierten und einer verzierten Fassung notiert. In der Zeitungsankündigung vom 13. April 1728 sagt Telemann dazu: „. . .Sonate metodiche, welche denen sehr nützlich seyn können, so der sangbaren Manieren sich befleißigen wollen". In Katalog C heißt es: „. . .wobey iedesmal das erste Adagio mit Manieren versehen ist".
Die Sonaten Nr. 4, 5 und 6 erscheinen im Breitkopf-Katalog, Supplement I, 1766, S. 40 als 6.–8. Sonate in einem fälschlich J. J. Quantz zugeschriebenen Zyklus.

41: D 4 Polonoise D-dur für Querflöte oder Violine und Gb.

Druck: in: Der getreue Music-Meister, Hamburg, (Selbstverlag), 1728 (–29), (Nr. 4), Lektion 1, S. 4 (Gesamtinhalt und Fundorte s. u. S. 242ff.).

Ausgabe: in: Hortus musicus 8, S. 3 (D. Degen).

Anmerkung: Die Lektion 1 ist noch 1728 erschienen.

41: D 5 Pastourelle D-dur für ein Melodieinstrument und Gb.

Druck: in: Der getreue Music-Meister, Hamburg, (Selbstverlag), 1728 (–29), (Nr. 12), Lektion 4, S. 16 (Gesamtinhalt und Fundorte s. u. S. 242ff.).

Ausgabe: in: Hortus musicus 8, S. 4 (D. Degen).

Anmerkung: Titel: „Pastourelle pour divers instrumens".

41: D 6 Sonate D-dur für Violoncello und Gb.

Druck: in: Der getreue Music-Meister, Hamburg, (Selbstverlag), 1728 (–29), (Nr. 16), Lektionen 5–7, S. 20, 21, 28 (Gesamtinhalt und Fundorte s. u. S. 242ff.).

Ausgaben: Hortus musicus 13 (D. Degen); Nagels Musik-Archiv 23 (W. Upmeyer); Wolfenbüttel, Verlag für musikalische Kultur und Wissenschaft, 1950 (F. Längin).

41: D 7 Sonatine D-dur für Querflöte oder Violine und Gb. oder für Klavier

Druck: in: Neue Sonatinen, (Hamburg, Selbstverlag, 1730/31).
DK Kk, mu 6608.0331 (nur Melodiestimme erhalten).
Gesamtinhalt und Anmerkungen s. 41: c 2.

41: D 8 Sonate D-dur für Violine oder Querflöte und Gb.

Druck: in: XII Solos à Violon ou Traversière, avec la Basse chiffrée, (Hamburg, Selbstverlag, 1734).
Gesamtinhalt, Fundorte und Anmerkungen s. 41: C 4.

Ausgabe: in: Zwölf Sonaten für Violine oder Querflöte und Bc., Wilhelmshaven, Heinrichshofen – New York, Peters – London, Hinrichsen, Heft 2, N 1328 (H. Kölbel und E. Meyerolbersleben).

41: D 9 Sonate D-dur für Querflöte und Gb.

Druck: in: Essercizii musici, Hamburg, Selbstverlag (1739/40).
Gesamtinhalt, Fundorte und Anmerkungen s. 32: 3.

Ausgaben: Nagels Musik-Archiv 163 (W. Upmeyer); Mainz, Schott, Ed. 5719 = FTR 73 (H. Ruf).

41: D 10 Sonate D-dur für Querflöte und Gb.

Abschrift: B Bc, XY 15115: Sammelhandschrift mit 54 Solosonaten, davon sind 7 Telemann zugeschrieben:
Nr. 23 = 41: G 11, Nr. 24 = G 12, Nr. 25 = D 10, Nr. 31 = e 9, Nr. 37 = f 2, Nr. 43 = e 10, Nr. 43 = e 11.
Ferner sind vertreten Freytag (6 Sonaten), Weisse (5), Loeillet, Heinichen und Händel (je 4), Geminiani (3), Stricker, Förster und Böhmer (je 2), Vivaldi, Walther, Schickhard, Blockwitz, Quantz und Graupner (je 1); bei 9 Sonaten ist kein Komponist genannt.

Ausgabe: in: 4 neue Sonaten für Querflöte und Gb., Heft 1, Neuhausen–Stuttgart, Hänssler, HE 39802 (R. Kubik).

Anh. 41: D 1 Sonate in D voor Altviool en Continuo

Ausgabe: Amsterdam, Broekmans & van Poppel (H. Leerink).

Anmerkung: Angeblich nach einer Handschrift **GB** Lbl, 13087, die aber die Sonate nicht enthält. Der erste Satz ist eine Bearbeitung nach der Klavierfantasie 33: 35; die Herkunft der übrigen Sätze ist unbekannt.

Anh. 41: D 2 Suite in D for Viola and Piano

Ausgabe: London, Schott & Co. Ltd., Ed. 10196 (W. Bergmann)
= Bearbeitung der Ouvertüre für Violoncello oder Viola da gamba und Streicher 55: D 6.

Anh. 41: D 3 Sonate de Concert pour trompette et orchestre

Ausgabe: Paris, Editions Musicales Transatlantiques, E. M. T. 925, 1966 (F. Oubradous)
= Bearbeitung für Trompete und Klavier.

Anh. 41: D 4 Sonate D-dur für Basson (Fagott) und Bc.

Abschrift: D-ddr ROu, Mus. saec. XVII. 18–45[15] (ohne Komponistenangabe, aber früher Telemann zugeschrieben)
= Bearbeitung des Concerto Flauto traverso col Basso von Heinichen (**D-ddr** ROu, Mus. saec. XVII. 18–45[14]); unter dieser Signatur sind jetzt beide Handschriften vereinigt.

41: d 1 L'hiver für ein Melodieinstrument und Gb.

Druck: in: Der getreue Music-Meister, Hamburg, (Selbstverlag), 1728 (–29), (Nr. 6), Lektion 2, S. 8 (Gesamtinhalt und Fundorte s. u. S. 242 ff.).

Ausgabe: in: Hortus musicus 7, S. 16 (D. Degen).

41: d 2 Sonate d-moll für Querflöte oder Violine und Gb.

Druck: in: Continuation des Sonates méthodiques, Hamburg, (Selbstverlag, 1732). Gesamtinhalt, Fundorte und Anmerkungen s. 41: C 3.

Ausgaben: in: TA Bd. 1, S. 103–113 (M. Seiffert), dazu Einzelausgabe Kassel, BA 2246; in: Zwölf methodische Sonaten, Heft 2, Leipzig und Frankfurt/Main, Peters, Ed. 4664b (J. Gerdes).

41: d 3 Sonate d-moll für Violine oder Querflöte und Gb.

Druck: in: XII Solos à Violon ou Traversière, avec la Basse chiffrée, (Hamburg, Selbstverlag, 1734). Gesamtinhalt, Fundorte und Anmerkungen s. 41: C 4.

Ausgaben: in: Zwölf Sonaten für Violine oder Querflöte und Bc., Wilhelmshaven, Heinrichshofen – New York, Peters – London, Hinrichsen, Heft 3, N 1329 (H. Kölbel und E. Meyerolbersleben); Amsterdam, Broekmans en van Poppel, N 557 (F. Brüggen).

41: d 4 Sonate d-moll für Blockflöte und Gb.

Druck: in: Essercizii musici, Hamburg, Selbstverlag (1739/40). Gesamtinhalt, Fundorte und Anmerkungen s. 32: 3.

Ausgaben: in: Zwei Sonaten für Blockflöte und Bc., Leipzig, Rieter-Biedermann, Ed. 11323 sowie Leipzig und Frankfurt/Main, Peters, Ed. 4551 (W. Woehl); Mainz, Schott, Ed. 5337 = OFB 104 (H. Ruf); in: Zwei Sonaten für Blockflöte und Gitarre, Hamburg, Sikorski, Ed. 365 (S. Behrend).

41: d 5 Sonate d-moll für Violine und Gb.

Druck: in: Solos for a Violin with a Thorough Bass for the Harpsicord or Bass Violin, Compos'd by Georgio Melande, Opera seconda, London, Walsh & Hare (um 1725).
enthält 41: d 5, e 7, F 5, g 8, B 7, a 7.
GB Lbl, g.422.j.(2); **F** Pmeyer (mit anderem Titelblatt, auf dem das Wort „seconda" fehlt).

Nachdruck: als Nr. 7–12 zusammen mit Solos for a Violin . . ., Opera prima, London, Walsh & Hare, (1722) (s. 41: D 1) in XII Solos for a Violin with a Thorough Bass for the Harpsicord or Bass Violin, Opera prima, London, Walsh & Hare, Ed. 417 (um 1735).
GB Lbl, g.422.i.(2); Lam; **S** Skma, B 78; **US** Wc, M219.T3.

41: d 6 Sonate d-moll für Violine und Gb.

Abschrift: Nr. 10 in: 16 Sonaten à Violino e Continuo, **D-brd** B, N. Mus. ms. 10353. Gesamtinhalt und Anmerkungen s. 41: C 6.

41: d 7 Sonate d-moll für Violine und Gb.

Abschrift: Nr. 15 in: 16 Sonaten à Violino e Continuo, **D-brd** B, N. Mus. ms. 10353.
Gesamtinhalt und Anmerkungen s. 41: C 6.
Echtheit fraglich.

41: Es 1 Partia Es-dur für Violine oder Querflöte oder Oboe und Gb.

Druck: in: Kleine Cammer-Music, bestehend aus VI Partien, Frankfurt/Main, Selbstverlag, 1716. Gesamtinhalt, Neuauflage, Fundorte und Anmerkungen s. 41: c 1.

Ausgaben: in: Die kleine Kammermusik, Hortus musicus 47 (W. Woehl); in: Kleine Kammermusik, Heft 2, Bad Godesberg, Rob. Forberg, 1956 (R. Lauschmann); in: Kleine Kammermusik, Leipzig und Frankfurt/Main, Peters, Ed. 9232 (J. Gerdes); Aria 6 in: Tempo di Minuetto Es-dur für Violine und Klavier, London, Schott & Co. Ltd., Ed. 11037 (W. Bergmann).

Anh. 41: Es Sonata Es-dur per fagotto e pianoforte

Budapest, Zenemükiadó Vallatat, 1965 (I. Rudas)
= 41: C 2, transponiert und bearbeitet

41: E 1 Sonatine E-dur für Violine und Gb.

Druck: in: Sei Suonatine per Violino e Cembalo, (Frankfurt/Main, Selbstverlag, 1718). Gesamtinhalt, Nachdrucke, Fundorte und Anmerkungen s. 41: D 2.

Ausgaben: in: Sei Suonatine, Leipzig und Frankfurt/Main, Peters, Ed. 9096 (W. Maertens und W. H. Bernstein); in: Sechs Sonatinen, Mainz, Schott, Ed. 2783 (K. Schweickert und G. Lenzewski); in: Sei Sonatine, London und New York, Hawkes, 1954 (L. Kaufman).

41: E 2 Niaise für ein Melodieinstrument und Gb.

Druck: in: Der getreue Music-Meister, Hamburg, (Selbstverlag), 1728 (–29), (Nr. 23), Lektion 7, S. 27 (Gesamtinhalt und Fundorte s. u. S. 242ff.).

Ausgaben: in: Hortus musicus 7, S. 18 (D. Degen); Niaise für Sopranflöte und Gitarre, in: Barocke Spielmusik, Mainz, Schott, Ed. 4524 (H. Zanoskar).

Anmerkung: Titel: „Niaise, pour divers instrumens, dancée par Ma^{lle} Kelp".

41: E 3 Pastorale E-dur für Flöte oder ein anderes Melodieinstrument und Gb.

Druck: in: Der getreue Music-Meister, Hamburg, (Selbstverlag), 1728 (–29), (Nr. 31), Lektion 9, S. 36 (Gesamtinhalt und Fundorte s. u. S. 242ff.).

Ausgabe: in: Hortus musicus 8, S. 7 (D. Degen).

Anmerkung: Titel: „Flauto ò altri stromenti".

41: E 4 Sonatine E-dur für Violine oder Querflöte und Gb. oder für Klavier

Druck: in: Neue Sonatinen, (Hamburg, Selbstverlag, 1730/31).
DK Kk, mu 6608.0331 (nur Melodiestimme erhalten).
Gesamtinhalt und Anmerkungen s. 41: c 2.

41: E 5 Sonate E-dur für Querflöte oder Violine und Gb.

Druck: in: Continuation des Sonates méthodiques, Hamburg (Selbstverlag, 1732). Gesamtinhalt, Fundorte und Anmerkungen s. 41: C 3.

Ausgaben: in: TA Bd. 1, S. 82–93 (M. Seiffert), dazu Einzelausgabe, Kassel, BA 2245; in: Zwölf methodische Sonaten, Heft 2, Leipzig und Frankfurt/Main, Peters, Ed. 4664b (J. Gerdes).

41: E 6 Sonate E-dur für Violine oder Querflöte und Gb.

Druck: in: XII Solos à Violon ou Traversière, avec la Basse chiffrée, (Hamburg, Selbstverlag, 1734). Gesamtinhalt, Fundorte und Anmerkungen s. 41: C 4.

Ausgabe: in: Zwölf Sonaten für Violine oder Querflöte und Bc., Wilhelmshaven, Heinrichshofen – New York, Peters – London, Hinrichsen, Heft 4, N 1330 (H. Kölbel und E. Meyerolbersleben).

41: E 7 Sonate E-dur für Violine und Gb.

Abschrift: Nr. 11 in: 16 Sonaten à Violino e Continuo, **D-brd** B, N. Mus. ms. 10353. Gesamtinhalt und Anmerkungen s. 41: C 6.
Echtheit fraglich.

41: e 1 Partia e-moll für Violine oder Querflöte oder Oboe und Gb.

Druck: in: Kleine Cammer-Music, bestehend aus VI Partien, Frankfurt/Main, Selbstverlag, 1716. Gesamtinhalt, Neuauflage, Fundorte und Anmerkungen s. 41: c 1.

Ausgaben: in: Die kleine Kammermusik, Hortus musicus 47 (W. Woehl); in: Kleine Kammermusik, Heft 2, Bad Godesberg, Rob. Forberg, 1956 (R. Lauschmann); in: Kleine Kammermusik, Leipzig und Frankfurt/Main, Peters, Ed. 9232 (J. Gerdes); Partita in E minor für Soprano und Alto Recorders (ohne Gb.), New York, McGinnis & Marx, MM 1106 (L. Davenport); Partita Nr. 5 in e-moll für Violine und Gitarre, Wien und München, Doblinger, D 14001, 1973 = Gitarre Kammermusik Nr. 96 (W. Kämmerling); Aria 4 und 5 in Siciliana und Giga, London, Schott & Co. Ltd., Ed. 11035 (W. Bergmann).

41: e 2 Sonate e-moll für Violine oder Querflöte und Gb.

Druck: in: Sonate metodiche à Violino solo o Flauto traverso, (Hamburg, Selbstverlag, 1728). Gesamtinhalt, Fundorte und Anmerkungen s. 41: D 3.

Ausgaben: in: TA Bd. 1, S. 20–29 (M. Seiffert), dazu Einzelausgabe Kassel, BA 2242; in: Zwölf methodische Sonaten, Heft 1, Leipzig und Frankfurt/Main, Peters, Ed. 4664a (J. Gerdes); Methodische Sonate g-moll für Altblockflöte und Basso continuo (Terztransposition), Kassel, Bärenreiter, BA 6437 (M. Harras).

41: e 3 Sonatine e-moll für Violine oder Querflöte und Gb. oder Klavier

Druck: in: Neue Sonatinen, (Hamburg, Selbstverlag, 1730/31).
DK Kk, mu 6608.0331 (nur Melodiestimme erhalten).
Gesamtinhalt und Anmerkungen s. 41: c 2.

41: e 4 Sonate e-moll für Violine oder Querflöte und Gb.

Druck: in: XII Solos à Violon ou Traversière avec la Basse chiffrée, (Hamburg, Selbstverlag, 1734). Gesamtinhalt, Fundorte und Anmerkungen s. 41: C 4.

Ausgabe: in: Zwölf Sonaten für Violine oder Querflöte und Bc., Wilhelmshaven, Heinrichshofen – New York, Peters – London, Hinrichsen, Heft 1, N 1327 (H. Kölbel und E. Meyerolbersleben).

41: e 5 Sonate e-moll für Viola da gamba und Gb.

Druck: in: Essercizii musici, Hamburg, Selbstverlag (1739/40). Gesamtinhalt, Fundorte und Anmerkungen s. 32: 3.

Abschrift: (transponiert nach g-moll): **D-ddr** SWl, 5406.

Ausgaben: Halle, Mitteldeutscher Verlag, Alte Meister Nr. 6, 1953 sowie Leipzig und Frankfurt/Main, Peters, Ed. 5631 (P. Rubardt); Sonata in Mi minore per fagotto, Budapest, Edition Musica / Zenemükiadó, 1971 (O. Oromszegi).

41: e 6 Sonate e-moll für Oboe und Gb.

Druck: in: Essercizii musici, Hamburg, Selbstverlag (1739/40).
Gesamtinhalt, Fundorte und Anmerkungen s. 32: 3.

Ausgaben: Hamburg, Sikorski, Ed. 332, 1954 (R. Lauschmann); Mainz, Schott, Ed. 5909 = OBB 23 (H. Ruf).

41: e 7 Sonate e-moll für Violine und Gb.

Druck: in: Solos for a Violin with a Thorough Bass . . ., Opera seconda, London, Walsh & Hare, (um 1725).
Gesamtinhalt, Nachdruck, Fundorte s. 41: d 5.

41: e 8 Sonate e-moll für Violine und Gb.

Abschrift: Nr. 7 in: 16 Sonaten à Violino e Continuo, **D-brd** B, N. Mus. ms. 10353.
Gesamtinhalt und Anmerkungen s. 41: C 6.

41: e 9 Sonate e-moll für Querflöte und Gb.

Abschrift: Nr. 31 in Sammelhandschrift **B** Bc, XY 15115.
Gesamtinhalt s. 41: D 10.

Ausgabe: in: 4 neue Sonaten für Querflöte und Gb., Heft 1, Neuhausen-Stuttgart, Hänssler, HE 39802 (R. Kubik).

41: e 10 Sonate e-moll für Querflöte und Gb.

Abschrift: Nr. 43 in Sammelhandschrift **B** Bc, XY 15115.
Gesamtinhalt s. 41: D 10.

41: e 11 Sonate e-moll für Querflöte und Gb.

Abschrift: Nr. 54 in Sammelhandschrift **B** Bc, XY 15115.
Gesamtinhalt s. 41: D 10.

Ausgabe: in: 4 neue Sonaten für Querflöte und Gb., Heft 2, Neuhausen-Stuttgart, Hänssler, HE 39803 (R. Kubik).

41: F 1 Sonate F-dur für Violine und Gb.

Druck: in: Sei Suonatine per Violino e Cembalo, (Frankfurt/Main, Selbstverlag, 1718).
Gesamtinhalt, Nachdrucke, Fundorte und Anmerkungen s. 41: D 2.

Abschrift: 2. Satz in Sammelhandschrift **D-ddr** LEm, III.11.32.

Ausgaben: in: Sei Suonatine, Leipzig und Frankfurt/Main, Peters, Ed. 9096 (W. Maertens und W. H. Bernstein); in: Sechs Sonatinen, Mainz, Schott, Ed. 2783 (K. Schweickert und G. Lenzewski); in: Sei Sonatine, London und New York, Hawkes, 1954 (L. Kaufman); Sonatine F-dur, Sonatinen und Stücke, Heft I, Mainz, Schott, Ed. 2789 (G. Lenzewski); 2. und 3. Satz als Sarabanda (transponiert nach a-moll) und Gavotta in: Alte Meister für junge Spieler für Violine und Klavier, Mainz, Schott, Ed. 1553 (A. Moffat); 3. Satz als Gavotta für Violoncello und Klavier, Alte Meisterweisen für junge Cellisten, Mainz, Schott, Ed. 2384 (E. Rapp).

41: F 2 Sonate F-dur für Blockflöte und Gb.

Druck: in: Der getreue Music-Meister, Hamburg, (Selbstverlag), 1728 (-29), (Nr. 1), Lektion 1–2, S. 1 und 5 (Gesamtinhalt und Fundorte s. u. S. 242ff.).

Ausgaben: in: Hortus musicus 6, S. 4–7 (D. Degen); Nagels Musik-Archiv 8 (E. Dohrn); in: Sonatas 1–4 from Der getreue Music-Meister, London, Schott & Co. Ltd., Ed. 11238 (W. Bergmann); London, Schott & Co. Ltd., Ed. 10060 (E. H. Hunt und W. Bergmann); in: 4 Sonaten für Altblockflöte, Leipzig und Frankfurt/Main, Peters, Ed. 9438 (J. Gerdes); in: Vier Sonaten für Altblockflöte und Bc., Winterthur, Amadeus, GM 666, 1977 (W. Michel); New York, Hargail Music Press, 1944 (R. Paeff Mirsky); in: Four Sonatas for Flute and Piano, New York, G. Schirmer, 1953 (M. Wittgenstein); New York, Intern. Music Comp., Ed. 1484, 1974 (J. P. Rampal); Sonate F-dur für Blockflöte in c'' mit Klavier oder 2 Blockflöten in c'' und f', Wien, Haslinger, 1953 = Haslingers Blockflöten-Reihe Nr. 1 (W. Guericke); Sonate für Altblockflöte und Gitarre, Frankfurt/Main, Hofmeister, 1959 (E. Wensiecki); Sonate F-Dur für Blockflöte und Gitarre, Frankfurt/Main, Zimmermann, ZM 1343, 1961 (S. Behrend).

41: F 3 Sonate F-dur für Violine oder Querflöte und Gb.

Druck: in: XII Solos à Violon ou Traversière avec la Basse chiffrée, (Hamburg, Selbstverlag, 1734). Gesamtinhalt, Fundorte und Anmerkungen s. 41: C 4.

Ausgaben: in: Zwölf Sonaten für Violine oder Querflöte und Bc., Wilhelmshaven, Heinrichshofen – New York, Peters – London, Hinrichsen, Heft 1, N 1327 (H. Kölbel und E. Meyerolbersleben); Sonata in F major, Original Edition for Violin or Flute, Amsterdam, Broekmans en van Poppel, Nr. 557 (F. Brüggen).

41: F 4 Sonate F-dur für Violine und Gb.

Druck: in: Essercizii musici, Hamburg, Selbstverlag, (1739/40). Gesamtinhalt, Fundorte und Anmerkungen s. 32: 3.

Ausgabe: Mainz, Schott, Ed. 5477 = VLB 36 (H. Ruf).

41: F 5 Sonate F-dur für Violine und Gb.

Druck: in: Solos for a Violin with a Thorough Bass . . ., Opera seconda, London, Walsh & Hare, (um 1725).
Gesamtinhalt, Nachdruck, Fundorte s. 41: d 5.

Anh. 41: F 1 Suite F-dur für Sopranblockflöte oder ein anderes Melodieinstrument und Klavier

Zürich, Zum Pelikan, P 746 V, 1961 = Musica instrumentalis Heft 7 (H. Mönkemeyer) = Zusammenstellung von Sätzen aus den Orchestersuiten 55: F 7, G 2 und F 6.

Anh. 41: F 2 Suite F-dur für Altblockflöte oder ein anderes Melodieinstrument und Klavier

Musica instrumentalis, Heft 10, Zürich, Zum Pelikan, PE 850 (H. Mönkemeyer) = Zusammenstellung von Sätzen aus den Orchestersuiten 55: D 5, F 7 und C 4.

41: f 1 Sonate f-moll für Fagott oder Blockflöte und Gb.

Druck: in: Der getreue Music-Meister, Hamburg, (Selbstverlag), 1728 (-29), (Nr. 36), Lektionen 11–14, S. 44, 48, 51, 53 (Gesamtinhalt und Fundorte s. u. S. 242ff.).

Ausgaben: für Blockflöte und Gb.: in: Hortus musicus 6, S. 14–22 (D. Degen); in: Sonatas 1–4 from Der getreue Music-Meister, London, Schott & Co. Ltd., Ed. 11238 (W. Bergmann); London, Schott & Co. Ltd., Ed. 11237 (W. Bergmann); in: 4 Sonaten für Altblockflöte, Leipzig und Frankfurt/Main, Peters, Ed. 9438 (J. Gerdes); in: Vier Sonaten für Altblockflöte und Bc., Winterthur, Amadeus, GM 666, 1977 (W. Michel); Wien und München, Doblinger, D 12599, 1967 (bearb. von H. U. Staeps);
für Fagott und Gb.: Sonata in F minor for Bassoon and Piano, New York, Internat. Music Comp., 1949 (Weiss-Mann und Kovar); Sonata in f minor for Bassoon & Continuo, London, Musica Rara, M. R. 1818, 1975 (R. Tyree);
für Horn und Gb.: Sonata in F minor for horn and piano, New York City, Internat. Music Comp., Ed. 2403, 1963 (J. Eger).

Anmerkungen: Die Sonate trägt die Überschrift: „Fagotto solo". Am Schluß des letzten Satzes wurde aber vermerkt: „Diß Solo kann auch auf der Flûte à bec gespielet werden". Man las in diesem Falle die im Baßschlüssel notierte Stimme im französischen Violinschlüssel. In dem nach Instrumenten aufgeschlüsselten Register führt Telemann die Sonate sowohl unter „Fagotto Solo" als auch unter „Flauto dolce Solo".

41: f 2 Sonate f-moll für Blockflöte und Gb.

Abschrift: Nr. 37 in Sammelhandschrift **B** Bc, XY 15115.
Gesamtinhalt s. 41: D 10.

Ausgabe: London, Schott & Co. Ltd., Ed. 11065 (H. M. Kneihs).

41: fis 1 Sonate fis-moll für Violine oder Querflöte und Gb.

Druck: in: XII Solos à Violon ou Traversière avec la Basse chiffrée, (Hamburg, Selbstverlag, 1734). Gesamtinhalt, Fundorte und Anmerkungen s. 41: C 4.

Ausgabe: in: Zwölf Sonaten für Violine oder Querflöte und Bc., Wilhelmshaven, Heinrichshofen – New York, Peters – London, Hinrichsen, Heft 4, N 1330 (H. Kölbel und E. Meyerolbersleben).

41: fis 2 Sonate fis-moll für Violine und Gb.

Abschrift: D-ddr Dl, Mus. 2392/R/3.

41: G 1 Sonate G-dur für Violine und Gb.

Druck: in: Six Sonates à Violon seul, accompagné par le Clavessin, Frankfurt/Main, Selbstverlag, (1715). Gesamtinhalt, Nachdrucke, Fundorte und Anmerkungen s. 41: D 1.

Abschrift: Nr. 2 in: 16 Sonaten à Violino e Continuo, **D-brd** B, N. Mus. ms. 10353 (s. 41: C 6).

Ausgaben: in: Sechs Sonaten für Violine und Bc., Celle, Moeck, Ed. 1102 = Moecks Kammermusik Nr. 102 (J. Baum); in: Sechs Sonaten für Violine und Bc., Mainz, Schott, Ed. 4221 (W. Friedrich); in: Six Sonates for Violin with Piano acc., Bryn Mawr, Pa., T. Presser, 1957 (L. Kaufman); in: Vier Sonaten für Violine und Bc., Halle, Mitteldeutscher Verlag, V 1071 sowie Leipzig und Frankfurt/Main, Peters, Ed. 5642 (G. Frotscher); 1. Satz transponiert in Largo B-dur für Altblockflöte und Klavier, Spielbuch der Klassik und Vorklassik, Mainz, Schott, Ed. 5182 (H. Kaestner).

41: G 2 Partia G-dur für Violine oder Querflöte oder Oboe und Gb.

Druck: in: Kleine Cammer-Music, bestehend aus VI Partien, Frankfurt/Main, Selbstverlag, 1716. Gesamtinhalt, Neuauflage, Fundorte und Anmerkungen s. 41: c 1.

Ausgaben: in: Die kleine Kammermusik, Hortus musicus 47 (W. Woehl); in: Kleine Kammermusik, Heft 1, Bad Godesberg, Rob. Forberg, 1956 (R. Lauschmann); in: Kleine Kammermusik, Leipzig und Frankfurt/Main, Peters, Ed. 9232 (J. Gerdes); Partita Nr. 2 für Blockflöte und Klavier, London, Schott & Co. Ltd., Ed. 10949, Ausgabe für Oboe und Klavier Ed. 10950 (W. Bergmann); Partita II für Violine (Blockflöte, Querflöte, Oboe) und Gitarre, Locarno, Heinrichshofen, PEG 6101, 1965 (J. Rentmeister); Partita G-dur für Violine (Blockflöte, Oboe, Querflöte) und Gitarre, Wien und München, Doblinger, D. 12011, 1966 (W. Kämmerling); Aria 1 und 2 in: 2 Arien für Flöte und Klavier, Leichte Originalmusik des 17. und 18. Jh., Mainz, Schott, Ed. 4710 (M. Bendik).

Anmerkungen: H. Graeser verzeichnet eine Sonata Siciliana von Telemann nach der Handschrift **D-ddr** ROu, Mus. saec. XVII. 18.45[13]. Die Handschrift ist heute verschollen. Nach Graesers Satzbezeichnungen handelte es sich um eine Abschrift von 41: G 2.

41: G 3 Sonatine G-dur für Violine und Gb.

Druck: in: Sei Suonatine per Violino e Cembalo, (Frankfurt/Main, Selbstverlag, 1718). Gesamtinhalt, Nachdrucke, Fundorte und Anmerkungen s. 41: D 2.

Abschrift: 3. Satz in Sammelhandschrift **D-ddr** LEm, III.11.32.

Ausgaben: in: Sei Suonatine, Leipzig und Frankfurt/Main, Peters, Ed. 9096 (W. Maertens und W. H. Bernstein); in: Sechs Sonatinen, Mainz, Schott, Ed. 2783 (K. Schweickert und G. Lenzewski); in: Sei Sonatine, London und New York, Hawkes, 1954 (L. Kaufman).

41: G 4 Sonate G-dur für Violine oder Querflöte und Gb.

Druck: in: Sonate metodiche à Violino solo o Flauto traverso, (Hamburg, Selbstverlag, 1728). Gesamtinhalt, Fundorte und Anmerkungen s. 41: D 3.

Ausgaben: In: TA Bd. 1, S. 53–62 (M. Seiffert), dazu Einzelausgabe Kassel, BA 2243; in: Zwölf methodische Sonaten, Heft 1, Leipzig und Frankfurt/Main, Peters, Ed. 4664a (J. Gerdes).

41: G 5 Capriccio G-dur für Querflöte und Gb.

Druck: in: Der getreue Music-Meister, Hamburg, (Selbstverlag), 1728 (-29), (Nr. 14), Lektion 5, S. 17 (Gesamtinhalt und Fundorte s. u. S. 242 ff.).

Ausgabe: in: Hortus musicus 8, S. 5–6 (D. Degen).

41: G 6 Sonate G-dur für Gambe und Gb.

Druck: in: Der getreue Music-Meister, Hamburg, (Selbstverlag), 1728 (-29), (Nr. 66), Lektionen 24–25, S. 93 und 97 (Gesamtinhalt und Fundorte s. u. S. 242ff.).

Ausgaben: Wolfenbüttel, Verlag für musikalische Kultur und Wissenschaft, 1950 (F. Längin); Hortus musicus 189 (F. Längin); 1. und 4. Satz (Siziliana und Scherzando) in: Meister der Gambe, Frankfurt/Main, Peters, Ed. 4836a (F. Längin).

Anmerkung: Im Titel „Dessus de Viole", im Register „Viola di Gamba Sola".

41: G 7 Sonatine G-dur für Violine oder Querflöte und Gb.

Druck: in: Neue Sonatinen, (Hamburg, Selbstverlag, 1730/31).
DK Kk, mu 6608.0331 (nur Melodiestimme erhalten).
Gesamtinhalt und Anmerkungen s. 41: c 2.

41: G 8 Sonate G-dur für Violine oder Querflöte und Gb.

Druck: in: XII Solos à Violon ou Traversière, avec la Basse chiffrée, (Hamburg, Selbstverlag, 1734). Gesamtinhalt, Fundorte und Anmerkungen s. 41: C 4.

Ausgabe: in: Zwölf Sonaten für Violine oder Querflöte und Bc., Wilhelmshaven, Heinrichshofen – New York, Peters – London, Hinrichsen, Heft 3, N 1329 (H. Kölbel und E. Meyerolbersleben).

41: G 9 Sonate G-dur für Querflöte und Gb.

Druck: in: Essercizii musici, Hamburg, Selbstverlag (1739/40).
Gesamtinhalt, Fundorte und Anmerkungen s. 32: 3.

Ausgaben: Mainz, Schott, Ed. 2459, 1936 (J. H. Feltkamp); Mainz, Schott, Ed. 5720 = FTR 74 (H. Ruf); in: Four Sonatas for Flute and Piano, New York, G. Schirmer, 1953 (M. Wittgenstein); 1. und 2. Satz, Cantabile et Allegro, in: La Flûte Classique, Vol. IV Nr. 7, Paris, M. Combre, 1961 (H. Classens und R. Leroy); 1. Satz in: Leichte Originalmusik des 17. und 18. Jh., Mainz, Schott, Ed. 4710 (M. Bendik).

41: G 10 Sonate G-dur für Violine und Gb.

Abschrift: Nr. 6 in: 16 Sonaten à Violino e Continuo, **D-brd** B, N. Mus. ms. 10353.
Gesamtinhalt und Anmerkungen s. 41: C 6.

41: G 11 Sonate G-dur für Querflöte und Gb.

Abschrift: Nr. 23 in Sammelhandschrift **B** Bc, XY 15115.
Gesamtinhalt s. 41: D 10.

41: G 12 Sonate G-dur für Querflöte und Gb.

Abschrift: Nr. 24 in Sammelhandschrift **B** Bc, XY 15115.
Gesamtinhalt s. 41: D 10.

Ausgabe: in: 4 neue Sonaten für Querflöte und Gb., Heft 2, Neuhausen-Stuttgart, Hänssler, HE 39803 (R. Kubik).

Anh. 41: G 1 Sonate G-dur für Querflöte und Gb.

Nachgewiesen in „Des Herrn General Major Freyherrn von Sonsfeldt Musikalischer Cathalogus", **D-brd** PA, Fü 3720a. Der Katalog enthält die Incipits von 14 Ouvertüren (davon 1 von Telemann), 152 Concerti (3 von Telemann), 17 größer besetzten Kammermusikwerken, 92 Triosonaten (8 von Telemann) und 60 Solosonaten (außer Anh. 41: G 1 noch 41: g 12 und c 6, beide mit dem später hinzugefügten Vermerk „adest"). Nach freundlicher Mitteilung von R. Kubik stammt die Sonate von Johann Christian Schickhard; unter seinem Namen wurde sie als 6. der Sonaten opus 20 bei Walsh in London veröffentlicht.

41: g 1 Sonate g-moll für Violine und Gb.

Druck: in: Six Sonates à Violon seul, accompagné par le Clavessin, Frankfurt/Main, Selbstverlag, (1715). Gesamtinhalt, Nachdrucke, Fundorte und Anmerkungen s. 41: D 1.

Abschrift: Nr. 3 in: 16 Sonaten à Violino e Continuo, **D-brd** B, N. Mus. ms. 10353 (s. 41: C 6).

Ausgaben: in: Sechs Sonaten für Violine und Bc., Celle, Moeck, Ed. 1101 = Moecks Kammermusik Nr. 101 (J. Baum); in: Sechs Sonaten für Violine und Bc., Mainz, Schott, Ed. 4221 (W. Friedrich); in: Six Sonatas for Violin with Piano acc., Bryn Mawr, Pa., T. Presser, 1957 (L. Kaufman); in: Vier Sonaten für Violine und Bc., Halle, Mitteldeutscher Verlag, V 1072 sowie Leipzig und Frankfurt/Main, Peters, Ed. 5643 (G. Frotscher).

41: g 2 Partia g-moll für Violine oder Querflöte oder Oboe und Gb.

Druck: in: Kleine Cammer-Music, bestehend aus VI Partien, Frankfurt/Main, Selbstverlag, 1716. Gesamtinhalt, Neuauflage, Fundorte und Anmerkungen s. 41: c 1.

Ausgaben: in: Die kleine Kammermusik, Hortus musicus 47 (W. Woehl); in: Kleine Kammermusik, Heft 2, Bad Godesberg, Rob. Forberg, 1956 (R. Lauschmann); in: Kleine Kammermusik, Leipzig und Frankfurt/Main, Peters, Ed. 9232 (J. Gerdes); Partita Nr. 4 g-moll, London, Schott & Co. Ltd., Ed. 11015 für Blockflöte und Klavier, Ed. 11016 für Oboe und Klavier (W. Bergmann).

41: g 3 Sonate g-moll für Violine oder Querflöte und Gb.

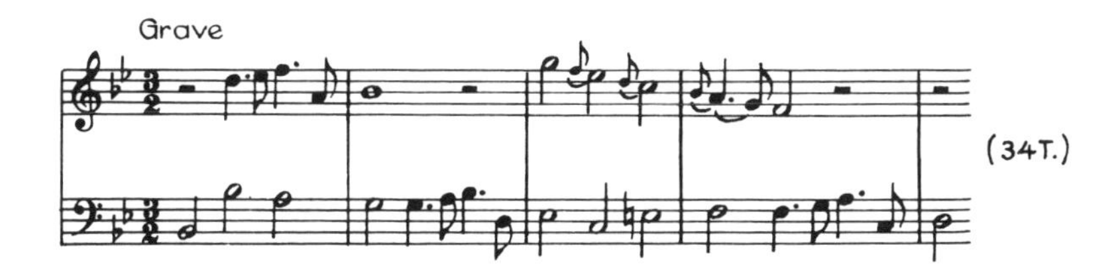

Druck: in: Sonate metodiche à Violino solo o Flauto traverso, (Hamburg, Selbstverlag, 1728). Gesamtinhalt, Fundorte und Anmerkungen s. 41: D 3.

Ausgaben: in: TA Bd. 1, S. 3–10 (M. Seiffert), dazu Einzelausgabe Kassel, BA 2241; in: Zwölf methodische Sonaten, Heft 1, Leipzig und Frankfurt/Main, Peters, Ed. 4664a (J. Gerdes).

41: g 4 Suite g-moll für Violine oder Oboe und Gb.

Druck: in: Der getreue Music-Meister, Hamburg, (Selbstverlag), 1728 (-29), (Nr. 8), Lektionen 3–7, S. 9, 10, 15, 20, 22, 27 (Gesamtinhalt und Fundorte s. u. S. 242ff.).

Ausgaben: Hortus musicus 175 (W. Lebermann); Sonate en Sol pour Hautbois et Piano, Paris, A. Leduc, 1952 (L. Bleuzet und P. Ruyssen).

Anmerkung: Im Register als Ouvertüre bezeichnet.

41: g 5 Sonate g-moll für ein Melodieinstrument und Gb.

Druck: in: Der getreue Music-Meister, Hamburg, (Selbstverlag), 1728 (-29), (Nr. 63), Lektionen 22–23, S. 85 und 92 (Gesamtinhalt und Fundorte s. u. S. 242ff.).

Ausgabe: in: Hortus musicus 7, S. 10–15 (D. Degen).

Anmerkung: Titel: „Sonata di Chiesa, à diversi stromenti"; im Register geführt unter Flauto traverso, Oboe und Violino.

41: g 6 Sonate g-moll für Oboe und Gb.

Druck: in: Musique de Table, partagée en Trois Productions, dont chacune contient I Ouverture avec la Suite, à 7 instrumens, I Quatuor, I Concert, à 7, I Trio, I Solo, I Conclusion, à 7, et dont les instrumens se diversifient par tout, (Hamburg, Selbstverlag, 1733).
Gesamtinhalt s. NA in DDT 61/62 (M. Seiffert) und in TA Bd. 12–14 (J. Ph. Hinnenthal). An Sonaten für 1 Instrument und Gb. sind enthalten in Production I 41: h 4, in Production II 41: A 4, in Production III 41: g 6.
D-brd RH (in MÜu), ms 938; **D-ddr** B, Mus. 13085 Rara; Dl, Mus. 2392/M/1 (nur Production III); **B** Bc, V 7116; **F** Pn, Vm^7 1536; AG, 122; **GB** Lbl, K.5.c.26 (nur Production I).

Abschriften: D-ddr SWl, 5402.

Ausgaben: Gesamte Musique de Table: in DDT 61/62 (M. Seiffert) und in TA Bd. 12–14 (J. Ph. Hinnenthal); Production III: London, Eulenburg, Ed. 879, 1956 (W. Bergmann); Sonate g-moll: Leipzig, Breitkopf & Härtel, Ed. 4171 (M. Seiffert); Kassel, BA 3547 (J. Ph. Hinnenthal); London, Schott & Co. Ltd., Ed. 10195 (W. Bergmann).

Anmerkungen: Die Musique de Table wurde von Telemann zur Subskription ausgeschrieben. Der folgende Aufruf erschien fast im selben Wortlaut am 26. November 1732 im Hamburgischen Correspondenten und am 9. Dezember 1732 in den Hamburgischen Berichten von neuen Gelehrten Sachen auf das Jahr 1732: „Die Liebhaber der Music haben im künftigen 1733. Jahre ein grosses Instrumental-Werck, Tafel-Music genannt, von der Telemannischen Feder zu erwarten; es besteht in 9. starcken Stücken mit sieben und aus so viel schwächern mit 1. 2. 3. bis 4 Instrumenten. Man pränumeriret bey jedem Quartal 2 Rthl., und zwar das erste mal auf Neu-Jahr. Die Ausgaben geschehen auf drey mal, als um Himmelfahrt, Michaelis und Weihnachten. Die Namen der Pränumerirenden sollen dem Wercke beygedruckt werden". Katalog F 1 (1733) registriert unter den erschienenen Werken: „Musique de table, contenant 3. Ouvertures, 3 Concerts, 3 Conclusions" (in Katalog F 2: „Schluß-Symphonien"), „3. Quatuors, 3. Trios & 3 solos, dont les neuf

premières pièces sont accompagnés de 7. Instrumens, qui se changent par tout l'ouvrage". Am 16. April 1734 heißt es in den Hamburgischen Berichten von neuen Gelehrten Sachen: „Die stets beschäfftigte Telemannische Feder, welche im verwichenen Jahre die Tafel-Music, deren Preiss itzo 20 fl. beträgt, ein Werck von mehr als 300 Platten und überaus saubern Noten, ans Licht gestellet, wird in diesem Jahre folgendes herausgeben: 6 Concerts und 6 Suiten . . ."
Der von Telemann betonte Wechsel der beteiligten Instrumente zeigt sich in folgender Weise:

Ouverture / Conclusion	Production	I	2 Querflöten, Streicher (V. 1, 2, Va., Vc.), Gb.
		II	Oboe, Trompete, Streicher, Gb.
		III	2 Oboen, Streicher, Gb.
Concert		I	Querflöte, Violine, Streicher, Gb.
		II	3 Violinen, Streicher, Gb.
		III	2 Hörner, Streicher, Gb.
Quatuor		I	Querflöte, Oboe, Violine, Gb.
		II	2 Querflöten, Blockflöte oder Fagott oder Vc., Gb.
		III	Querflöte, Violine, Vc., Gb.
Trio		I	2 Violinen, Gb.
		II	Querflöte, Oboe, Gb.
		III	2 Querflöten, Gb.
Solo		I	Querflöte, Gb.
		II	Violine, Gb.
		III	Oboe, Gb.

Die im Stimmbuch der 1. Violine abgedruckte Liste der Subskribenten (Faksimile in TA Bd. 14) weist 186 Namen mit Bestellungen für 206 Exemplare auf. Von diesen gingen nicht weniger als 49 ins Ausland, davon 33 nach Frankreich, 5 nach Dänemark, 4 ins Baltikum, 3 in die Niederlande, 2 nach Norwegen und je 1 nach England und in die Schweiz. Unter den Subskribenten befanden sich zahlreiche regierende Herzöge, Grafen und Prinzen. Von den deutschen Städten kamen die meisten Bestellungen aus Hamburg, Berlin, Frankfurt am Main und Dresden. An bekannten Musikern finden sich in der Liste Händel, Quantz, Pisendel, Hebenstreit und der Pariser Flötist und spätere Verleger Blavet, der allein 12 Exemplare bestellte.
Daß Georg Friedrich Händel zahlreiche Themen aus der Musique de Table später verwendet und verarbeitet hat, wurde von M. Seiffert nachgewiesen (Beiheft II zu den Denkmälern der deutschen Tonkunst).

41: g 7 Sonate g-moll für Violine oder Querflöte und Gb.

Druck: in: XII Solos à Violon ou Traversière avec la Basse chiffrée, (Hamburg, Selbstverlag, 1734). Gesamtinhalt, Fundorte und Anmerkungen s. 41: C 4.

Ausgabe: in: Zwölf Sonaten für Violine oder Querflöte und Bc., Wilhelmshaven, Heinrichshofen – New York, Peters – London, Hinrichsen, Heft 2, N 1328 (H. Kölbel und E. Meyerolbersleben).

41: g 8 Sonate g-moll für Violine und Gb.

Druck: in: Solos for a Violin with a Thorough Bass . . ., Opera seconda, London, Walsh & Hare, (um 1725).
Gesamtinhalt, Nachdruck, Fundorte s. 41: d 5.

41: g 9 Sonate g-moll für Violine und Gb.

Abschrift: D-ddr Dl, Mus. 2392/R/1.

Anmerkung: Die Handschrift ist zerstört. Nach H. Graeser wies die Sonate folgende Sätze auf: (Langsamer Satz ohne Bezeichnung) C – Vivace C – (Langsamer rezitativischer Satz ohne Bezeichnung, Es-dur) C – Gigue presto 12/8.

41: g 10 Sonate g-moll für Oboe und Gb.

Abschrift: D-ddr Dl, Mus. 2392/S/1.

Ausgabe: Sonata for Oboe and Keyboard, London, Oxford University Press, 1963 (H. Schlövogt).

41: g 11 Sonate g-moll für Violine und Gb.

Abschrift: Nr. 9 in: 16 Sonaten à Violino e Continuo, **D-brd** B, N. Mus. ms. 10353.
Gesamtinhalt und Anmerkungen s. 41: C 6.
Den Anfang des 1. Satzes vgl. mit 41: g 10.

41: g 12 Sonate g-moll für Oboe und Gb.

Abschrift: **D-brd** PA, Fü 3632a (Ms. 39).
Ausgabe: Bielefeld, Hinnenthal, Nr. 17, 1948 (J. Ph. Hinnenthal).

Anh. 41: g Sonate g-moll für Violine und Gb.

Abschrift: **D-ddr** SWl, 5406.
= 41: e 5, transponiert

41: A 1 Sonate A-dur für Violine und Gb.

Druck: in: Six Sonates à Violon seul, accompagné par le Clavessin, Frankfurt/Main, Selbstverlag (1715). Gesamtinhalt, Nachdrucke, Fundorte und Anmerkungen s. 41: D 1.

Ausgaben: in: Sechs Sonaten für Violine und Bc., Celle, Moeck, Ed. 1103 = Moecks Kammermusik Nr. 103 (J. Baum); in: Six Sonatas for Violin with Piano acc., Bryn Mawr, Pa., T. Presser, 1957 (L. Kaufman).

41: A 2 Sonatine A-dur für Violine und Gb.

Druck: in: Sei Suonatine, per Violino e Cembalo, (Frankfurt/Main, Selbstverlag, 1718). Gesamtinhalt, Nachdrucke, Fundorte und Anmerkungen s. 41: D 2.

Ausgaben: in: Sei Suonatine, Leipzig und Frankfurt/Main, Peters, Ed. 9096 (W. Maertens und W. H. Bernstein); in: Sechs Sonatinen, Mainz, Schott, Ed. 2783 (K. Schweickert und G. Lenzewski); in: Sei Sonatine, London und New York, Hawkes, 1954 (L. Kaufman); in: Sonatinen und Stücke, Band II, Mainz, Schott, Ed. 2790 (G. Lenzewski).

Anmerkung: Im Getreuen Music-Meister, 2. Lektion, S. 8 hat Telemann „Etliche kontrapunctische Veränderungen" zum Anfangsthema des 1. Satzes veröffentlicht.

41: A 3 Sonate A-dur für Violine oder Querflöte und Gb.

Druck: in: Sonate metodiche à Violino solo o Flauto traverso, (Hamburg, Selbstverlag, 1728). Gesamtinhalt, Fundorte und Anmerkungen s. 41: D 3.

Ausgaben: in: TA Bd. 1, S. 11–19 (M. Seiffert), dazu Einzelausgabe Kassel, BA 2241; in: Zwölf methodische Sonaten, Heft 1, Leipzig und Frankfurt/Main, Peters, Ed. 4664a (J. Gerdes).

41: A 4 Sonate A-dur für Violine und Gb.

Druck: in: Musique de Table, (Hamburg, Selbstverlag, 1733), Production II.
Fundorte des Gesamtwerks und Anmerkungen s. 41: g 6.

Abschrift der Sonate A-dur: **D-brd** DS, Mus. ms. 1042/93.

Ausgaben: in: DDT 61/62, S. 163–166 (M. Seiffert); in: TA Bd. 13, S. 133–141 (J. Ph. Hinnenthal), dazu Einzelausgabe Kassel, BA 3542.

41: A 5 Sonate A-dur für Violine oder Querflöte und Gb.

Druck: in: XII Solos à Violon ou Traversière avec la Basse chiffrée, (Hamburg, Selbstverlag, 1734). Gesamtinhalt, Fundorte und Anmerkungen s. 41: C 4.

Ausgaben: in: Zwölf Sonaten für Violine oder Querflöte und Bc., Wilhelmshaven, Heinrichshofen – New York, Peters – London, Hinrichsen, Heft 1, N 1327 (H. Kölbel und E. Meyerolbersleben); Solo IIIe in: L'art du Violon, Paris, Decombe (J. B. Cartier).

41: A 6 Sonate A-dur für Violine und Gb.

Druck: in: Essercizii musici, Hamburg, Selbstverlag (1739/40).
Gesamtinhalt, Fundorte und Anmerkungen s. 32: 3.

Ausgaben: Mainz, Schott, Ed. 5478 = VLB 35 (H. Ruf); Zürich, Zum Pelikan, PE 252 (W. Woehl).

41: A 7 Sonate A-dur für Violine und Gb.

Abschrift: D-ddr Dl, Mus. 2392/R/2.

41: A 8 Sonate A-dur für Violine und Gb.

Abschrift: Nr. 13 in: 16 Sonaten à Violino e Continuo, **D-brd** B, N. Mus. ms. 10353.
Gesamtinhalt und Anmerkungen s. 41: C 6.
Echtheit fraglich.

41: A 9 Sonate A-dur für Violine und Gb.

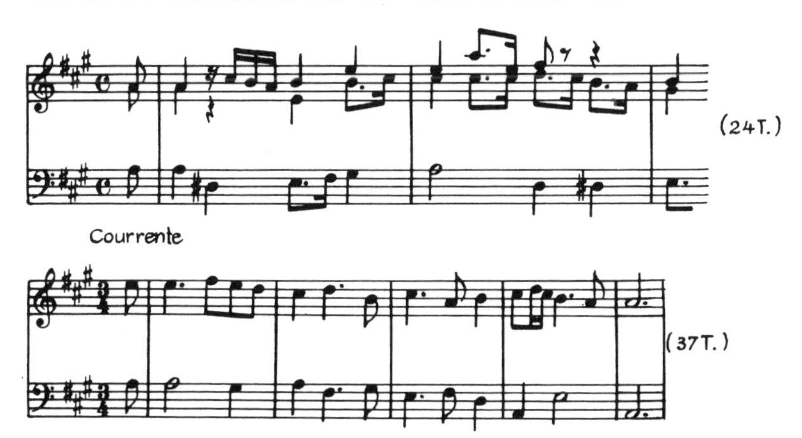

Abschrift: Nr. 16 in: 16 Sonaten à Violino e Continuo, **D-brd** B, N. Mus. ms. 10353.
Gesamtinhalt und Anmerkungen s. 41: C 6.
Echtheit fraglich.

Anh. 41: A Sonate A-dur für Querflöte oder Violine und Viola oder Gambe ohne Gb.

s. 41: B 3

Anh. 41: A 1 Passepied A-dur für Violine und Klavier

in: Zweites Spielbuch für Geige und Klavier, Köln, Tonger, 1941 (W. Isselmann)
= Bearbeitung des Passepied aus der Orchestersuite 55: A 5.

41: a 1 Sonate a-moll für Violine und Gb.

Druck: in: Six Sonates à Violon seul, accompagné par le Clavessin, Frankfurt/Main, Selbstverlag (1715). Gesamtinhalt, Nachdrucke, Fundorte und Anmerkungen s. 41: D 1.

Ausgaben: in: Sechs Sonaten für Violine und Bc., Celle, Moeck, Ed. 1103 = Moecks Kammermusik Nr. 103 (J. Baum); in: Sechs Sonaten für Violine und Bc., Mainz, Schott, Ed. 4221 (W. Friedrich); in: Six Sonatas for Violin with Piano acc., Bryn Mawr, Pa., T. Presser, 1957 (L. Kaufman); 3. Satz als Sarabande für Altflöte und Klavier in: Spielbuch der Klassik und Vorklassik, Mainz, Schott, Ed. 5182 (H. Kaestner).

41: a 2 Sonate a-moll für Violine oder Querflöte und Gb.

Druck: in: Sonate metodiche à Violino solo o Flauto traverso, (Hamburg, Selbstverlag, 1728). Gesamtinhalt, Fundorte und Anmerkungen s. 41: D 3.

Ausgaben: in: TA Bd. 1, S. 42–52 (M. Seiffert), dazu Einzelausgabe Kassel, BA 2243; in: Zwölf methodische Sonaten, Heft 1, Leipzig und Frankfurt/Main, Peters, Ed. 4664a (J. Gerdes).

41: a 3 Sonate a-moll für Oboe und Gb.

Druck: in: Der getreue Music-Meister, Hamburg, (Selbstverlag), 1728 (-29), (Nr. 50), Lektionen 17–18, S. 65 und 71 (Gesamtinhalt und Fundorte s. u. S. 242 ff.).

Ausgaben: in: Hortus musicus 7, S. 3–9 (D. Degen); Paris, Leduc, Editions Musicales, 1938 (P. Ruyssen und L. Bleuzet); Sonata in A minor for oboe or flute and piano, San Antonio, Tex., Southern Music Co., 1963 (A. J. Andraud); Sonate a-moll für Oboe und Gitarre, Frankfurt/Main, Zimmermann, ZM 1892 = Kammermusik mit Gitarre (S. Behrend).

41: a 4 Sonatine a-moll für Blockflöte oder Fagott oder Violoncello und Gb.

Druck: in: Neue Sonatinen, (Hamburg, Selbstverlag, 1730/31).
DK Kk, mu 6608.0331 (nur Melodiestimme erhalten).
Gesamtinhalt und Anmerkungen s. 41: c 2.

41: a 5 Sonate a-moll für Violine oder Querflöte und Gb.

Druck: in: XII Solos à Violon ou Traversière avec la Basse chiffrée, (Hamburg, Selbstverlag, 1734). Gesamtinhalt, Fundorte und Anmerkungen s. 41: C 4.

Ausgabe: in: Zwölf Sonaten für Violine oder Querflöte und Bc., Wilhelmshaven, Heinrichshofen – New York, Peters – London, Hinrichsen, Heft 4, N 1330 (H. Kölbel und E. Meyerolbersleben).

41: a 6 Sonate a-moll für Gambe und Gb.

Druck: in: Essercizii musici, Hamburg, Selbstverlag (1739/40).
Gesamtinhalt, Fundorte und Anmerkungen s. 32: 3.

Ausgaben: Halle, Mitteldeutscher Verlag, Alte Meister Nr. 7, 1953 (P. Rubardt); Leipzig und Frankfurt/Main, Peters, Ed. 4625 (W. Schulz und D. Hellmann); Sonata a-moll, für Viola und Gitarre (oder Laute) bearbeitet, Frankfurt/Main, Zimmermann, ZM 362, 1962 (J. de Apiazu); London, Schott & Co. Ltd., Ed. 10357 (N. Dolmetsch und C. Wood); Sonate en La mineur pour Violoncelle et piano in: Sonates et Suites Célèbres, Nice, Delrieu, 1956 (P. Ruyssen).

41: a 7 Sonate a-moll für Violine und Gb.

Druck: in: Solos for a Violin with a Thorough Bass . . ., Opera seconda, London, Walsh & Hare, (um 1725).
Gesamtinhalt, Nachdruck, Fundorte s. 41: d 5.

41: a 8 Sonate a-moll für Querflöte und Gb.

Abschrift: S Skma, C 1–R.

Anmerkung: Im Titel dieser und der folgenden Sonate: „da Georg Phil. Telemann d. ä." bzw. „del Sigr. Teleman, Georg Phil. d. ä."

41: a 9 Sonate a-moll für Querflöte und Gb.

Abschrift: S Skma, C 1–R.

Anh. 41: a 1 Partita a-moll für Altblockflöte und Klavier

Ausgabe: Wien und München, Doblinger, D 12351 (H. U. Staeps)
= Zusammenstellung von Sätzen aus 41: e 1, G 2 und g 2.

Anh. 41: a 2 Suite a-moll für Flöte und Klavier

Ausgabe: Frankfurt/Main, Peters – London, Hinrichsen, H 882a (L. Salter)
= Bearbeitung der Suite für Flöte und Orchester 55: a 2.

41: B 1 Partia B-dur für Violine oder Querflöte oder Oboe und Gb.

Druck: in: Kleine Cammer-Music, bestehend aus VI Partien, Frankfurt/Main, Selbstverlag, 1716. Gesamtinhalt, Neuauflage, Fundorte und Anmerkungen s. 41: c 1.

Ausgaben: in: Die kleine Kammermusik, Hortus musicus 47 (W. Woehl); in: Kleine Kammermusik, Heft 1, Bad Godesberg, Rob. Forberg, 1956 (R. Lauschmann); Aria 2 in: Andante und Allegro G-dur für Violine und Klavier, London, Schott & Co. Ltd., Ed. 6516 = FSP 11 (T. S. Walker).

41: B 2 Sonatine B-dur für Violine und Gb.

Druck: in: Sei Suonatine per Violino e Cembalo, (Frankfurt/Main, Selbstverlag, 1718). Gesamtinhalt, Nachdrucke, Fundorte und Anmerkungen s. 41: D 2.

Ausgaben: in: Sei Suonatine, Leipzig und Frankfurt/Main, Peters, Ed. 9096 (W. Maertens und W.H. Bernstein); in: Sechs Sonatinen, Mainz, Schott, Ed. 2783 (K. Schweickert und G. Lenzewski); in: Sei Sonatine, London und New York, Hawkes, 1954 (L. Kaufman).

41: B 3 Sonate im Kanon B-dur für Viola oder Gambe und Gb. oder B-dur für Blockflöte und Viola oder Gambe ohne Gb. oder A-dur für Querflöte oder Violine und Viola oder Gambe ohne Gb.

Druck: in: Der getreue Music-Meister, Hamburg, (Selbstverlag), 1728 (-29), (Nr. 28), Lektionen 9–10, S. 33 und 37 (Gesamtinhalt und Fundorte s. u. S. 242ff.).

Ausgaben: B-dur für Viola und Gb.: Mainz, Schott, Ed. 5652 = VAB 35 (H. Ruf);
B-dur für Blockflöte und Gb.: in: Hortus musicus 6, S. 8–13 (D. Degen); in: Vier Sonaten für Altblockflöte und Bc., Winterthur, Amadeus, GM 666, 1977 (W. Michel); in: 4 Sonaten für Altblockflöte, Leipzig und Frankfurt/Main, Peters, Ed. 9438 (J. Gerdes);
C-dur für Blockflöte und Gb.: in: Sonatas 1–4 from Der getreue Music-Meister, London, Schott & Co. Ltd., Ed. 11238 und einzeln Ed. 11236 (W. Bergmann);
3. Satz Largo (en canon) sol mineur in: La Flûte Classique, Vol. III, Paris, M. Combre, 1961 (H. Classens und R. Leroy).

Anmerkungen: Notiert in B-dur, 1. Stimme Altschlüssel, 2. Stimme Baßschlüssel. Alternative Schlüsselungen: B-dur, 1. Stimme Altschlüssel (Viola di Braccio o di Gamba), 2. Stimme französischer Violinschlüssel (Flauto dolce); A-dur, 1. Stimme Violinschlüssel (Flauto trav.), 2. Stimme Altschlüssel (Viola di Gamba o di Braccio). Überschrieben ist die Sonate: „Viola di Braccio o di Gamba". Im Register wird sie aufgeführt unter (1.) Viola di Braccio Sola (= mit Gb.) ò Duetto à Fl. dolc. e V. di Brac.; (2.) Viola di Gamba Sola ò Duetto à Fl. trav. e Va. di G.; (3.) Flauto dolce, Duetto à Viola di Braccio ò Va. di Ga. e Fl.; (4.) Flauto traverso, Duetto à Va. di Gamba ò Va. di Braccio e Fl.; (5.) Violino Solo, Duetto, Violino e Viol. di Gamba ò Viol. di Braccio. Alternative Instrumente sollten nach Telemanns Anweisung nicht transponieren müssen, sondern ihre Stimmen nur mit anderen Schlüsseln und ggf. mit anderen Vorzeichen lesen. Daher sollte eine Blockflöte nicht die erste Stimme spielen, sondern sie mußte die zweite, im Baßschlüssel notierte Stimme im französischen Violinschlüssel lesen.

41: B 4 Napolitana B-dur für Oboe d'amore oder ein anderes Melodieinstrument und Gb.

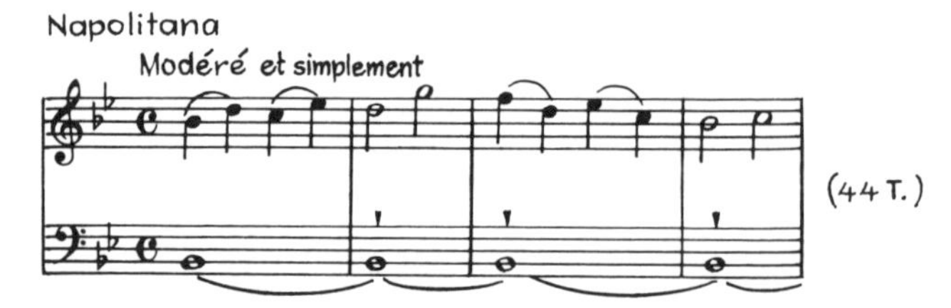

Druck: in: Der getreue Music-Meister, Hamburg (Selbstverlag), 1728 (-29), (Nr. 33), Lektion 10, S. 40 (Gesamtinhalt und Fundorte s. u. S. 242ff.).

Ausgabe: in: Hortus musicus 7, S. 19–20 (D. Degen).

Anmerkung: Überschrift: „Napolitana: Hautbois d'amour ou d'autres instrumens".

41: B 5 Sonate B-dur für Querflöte oder Violine und Gb.

Druck: in: Continuation des Sonates méthodiques, Hamburg, (Selbstverlag, 1732). Gesamtinhalt, Fundorte und Anmerkungen s. 41: C 3.

Ausgaben: in: TA Bd. 1, S. 94–102 (M. Seiffert), dazu Einzelausgabe Kassel, BA 2245; Organum, III. Reihe, Nr. 8 (M. Seiffert); in: Zwölf methodische Sonaten, Heft 2, Leipzig und Frankfurt/Main, Peters, Ed. 4664b (J. Gerdes); in: Four Sonatas for Flute and Piano, New York, G. Schirmer, 1953 (M. Wittgenstein); 3. Satz in: La Flûte Classique, Vol. II Nr. 15, Paris, M. Combre, 1961 (H. Classens und R. Leroy).

41: B 6 Sonate B-dur für Oboe und Gb.

Druck: in: Essercizii musici, Hamburg, Selbstverlag, (1739/40).
Gesamtinhalt, Fundorte und Anmerkungen s. 32: 3.

Ausgaben: Mainz, Schott, Ed. 6031 = OBB 21 (H. Ruf); Hamburg, Sikorski, Ed. 320, 1954 (R. Lauschmann).

41: B 7 Sonate B-dur für Violine und Gb.

Druck: in: Solos for a Violin with a Thorough Bass . . ., Opera seconda, London, Walsh & Hare, (um 1725).
Gesamtinhalt, Nachdruck, Fundorte s. 41: d 5.

41: B 8 Sonate B-dur für Violine und Gb.

Abschrift: Nr. 12 in: 16 Sonaten à Violino e Continuo, **D-brd** B, N. Mus. ms. 10353.
Gesamtinhalt und Anmerkungen s. 41: C 6.
Echtheit fraglich.

Anh. 41: B Largo B-dur für Altblockflöte und Klavier

in: Spielbuch der Klassik und Vorklassik, Mainz, Schott, Ed. 5182 (H. Kaestner)
= 41: G 1, 1. Satz, transponiert

41: h 1 Sonate h-moll für Violine und Gb.

Druck: in: Six Sonates à Violon seul, accompagné par le Clavessin, Frankfurt/Main, Selbstverlag, (1715). Gesamtinhalt, Nachdrucke, Fundorte und Anmerkungen s. 41: D 1.

Ausgaben: in: Sechs Sonaten für Violine und Bc., Celle, Moeck, Ed. 1102 = Moecks Kammermusik Nr. 102 (J. Baum); in: Sechs Sonaten für Violine und Bc., Mainz, Schott, Ed. 4221 (W. Friedrich); in: Six Sonatas for Violin with Piano acc., Bryn Mawr, Pa., T. Presser, 1957 (L. Kaufman).

41: h 2 Sonate h-moll für Querflöte und Gb.

Druck: in: Der getreue Music-Meister, Hamburg, (Selbstverlag), 1728 (-29), (Nr. 64), Lektionen 22–24, S. 88, 89, 96 (Gesamtinhalt und Fundorte s. u. S. 242 ff.).

Ausgabe: in Hortus musicus 8, S. 8–16 (D. Degen).

Anmerkung: Überschrift: „Sinfonie à Flûte traverse seule, à la Françoise".

41: h 3 Sonate h-moll für Querflöte oder Violine und Gb.

Druck: in: Continuation des Sonates méthodiques, Hamburg, (Selbstverlag, 1732). Gesamtinhalt, Fundorte und Anmerkungen s. 41: C 3.

Ausgaben: in: TA Bd. 1, S. 63–71 (M. Seiffert), dazu Einzelausgabe Kassel, BA 2244; in: Zwölf methodische Sonaten, Heft 2, Leipzig und Frankfurt/Main, Peters, Ed. 4664b (J. Gerdes).

41: h 4 Sonate h-moll für Querflöte und Gb.

Druck: in: Musique de Table, (Hamburg, Selbstverlag, 1733), Production I.
Fundorte des Gesamtwerks und Anmerkungen s. 41: g 6.

Ausgaben: in: DDT 61/62, S. 227–230 (M. Seiffert); in: TA Bd. 12, S. 108–117 (J. Ph. Hinnenthal), dazu Einzelausgabe Kassel, BA 3537; Leipzig, Breitkopf & Härtel, Ed. 4168 (M. Seiffert); London, Chester, 1953 (M. Silver); 4. Satz in: Die musikalische Klassik, Das Musikwerk, hrsg. v. K. G. Fellerer, Köln, Arno-Volk-Verlag (K. Stephenson).
Die Themen der Ecksätze hat Händel in seinem Orgelkonzert d-moll (GA Bd. 48, S. 57 und 64) verwendet.

41: h 5 Sonate h-moll für Violine oder Querflöte und Gb.

Druck: in: XII Solos à Violon ou Traversière avec la Basse chiffrée, (Hamburg, Selbstverlag, 1734). Gesamtinhalt, Fundorte und Anmerkungen s. 41: C 4.

Ausgaben: in: Zwölf Sonaten für Violine oder Querflöte und Bc., Wilhelmshaven, Heinrichshofen – New York, Peters – London, Hinrichsen, Heft 3, N 1329 (H. Kölbel und E. Meyerolbersleben).

Anh. 41:

Zahlreiche Klavierstücke Telemanns (Suitensätze, Fantasien, Menuette) sind so komponiert, daß die Melodiestimme auch von einem Solo-Instrument ausgeführt werden konnte. Für die Sammlung Sieben mal Sieben und ein Menuett heißt es in den Katalogen ausdrücklich: fürs Clavier oder (bzw. und) andere Instrumente (s. Anmerkungen zu 33: 1–50). So finden sich unter den Ausgaben der Klavierwerke zahlreiche Bearbeitungen für ein Melodieinstrument und Gb.

Heldenmusik, bestehend aus 12 Märschen

Druck: Musique Heroique ou XII Marches, Helden-Music, bestehend aus 12 Marchen, Hamburg, (Selbstverlag, 1728).
bis 1945: Bibliothek Königsberg, 14304a.

Ausgabe: für Violine oder Flöte oder andere Melodieinstrumente und Bc., auch unter dem Titel Ein fröhlicher Tugendspiegel in 12 Märschen, ebenfalls für 1 Instrument und Bc., Berlin-Lichterfelde, Lienau (E. Pätzold), s. Abt. 50.

Anmerkungen: Das Werk war für Orchester bestimmt. Katalog C (1728) zeigte an: „Helden-Music, oder 12 neue musicalische Marches, auf zween Hautbois, oder Violinen etc. gerichtet, deren 6 mit einer Trompete, und 3 mit 2 Waldhörnern begleitet werden können, alle aber auch auf dem Claviere allein zu spielen sind". Katalog F 1 bestimmt die Märsche „pour divers Instrumens & pour le Clavessin".

Die Druckpublikationen

1. Telemann als Verleger seiner Werke

a) Die Verlagskataloge

Katalog A (1718)

... sind folgende (Instrumental-Werke) von mir in Kupfer und gedruckt publiciret worden, als

1. VI Sonates à Violon seul & Basse chiffrée, in Kupfer.
2. Kleine Cammer-Music oder Partien für diverse Instrumente, gedruckt.
3. Six Trio, ingleichen für vielerley Instrumente, in Kupfer.
4. Sei Sonatine per Violino e Cembalo, in Kupfer.

Autobiographie 1718, in Johann Mattheson, Große General-Baß-Schule, Hamburg ^{2}/1731.

Katalog B (1726)

Œuvres publiées jusqu'ici par Telemann.

Six Sonates à Violon seul & Basse chiffrée, gravées en fol.	1 Ecu
Six Trios, à divers instrumens, gravés en fol.	2 Ecus
Six Sonatines, à Violon seul & Basse chiffrée, gravées en 8	1 Flor.
La petite Musique de Chambre, à un Hautbois, ou Violon, ou Flute traverse, ou Clavessin, avec la Basse chiffrée, imprimée en fol.	$^{1}/_{2}$ Flor.
L'Office divin en Musique, ou Cantates spirituelles en Allemand, sur les Epitres pour toute l'année, à une voix & un Violon ou Hautbois, ou à une Flute traverse ou à bec, avec la Basse chiffrée, imprimées en fol.	10 Ecus
Sonates sans Basse, à deux Flutes traverses, ou à deux Violons, ou à deux Flutes à bec: L'ouvrage présent	$^{1}/_{2}$ Ecu

in: Sonates sans Basse à deux Flutes traverses ..., Hamburg, Selbstverlag, 1727 (erschienen im November 1726).

Katalog C (1728)

Verzeichniß der Telemannischen Musicalischen Werke, welche in London bey Hr. Crownfield, in Amsterdam und Leipzig bey Hr. Peter Schenck, in Berlin beym Hof-Buchhändler, Hrn. Dusarrat, in Franckfurth am Mayn beym Direct. Music. Hrn. König, in Nürnberg bey Hrn. Wolfgang Moritz Mayr, in

Jena bey Hrn. Kaltenbrunner, beyderseits Buchhändlern, in Hamburg bey Hr. Peter Heuß, neben der Banco, und eben daselbst beym Autore zu bekommen sind:

6 Sonaten, mit einer Violine, und dem General-Basse, nach Kupfer-Ahrt, in Folio	1 Rthlr.
6 Trii für verschiedene Instrumente, nebst dem General-Basse, in Kupfer, in Folio	1 Rthlr. 16 Ggl.
6 Sonatinen, mit einer Violine und dem General-Basse, in Kupfer, in Octav	$^1/_2$ Rthlr.
Die kleine Cammer-Music, bestehend aus Partien, mit einer Hautbois, oder Violine, oder Flûte traverse, oder mit dem Claviere, nebst dem General-Basse, nach Kupfer-Ahrt, in Octavo	1 Gulden
Der Harmonische Gottes-Dienst, oder geistliche Cantaten, über die Episteln durchs ganze Jahr, mit einer Singe-Stimme, und einer Violine, oder Hautbois, oder Flûte traverse, oder Flûte a bec, mit dem General-Basse, gedruckt in Folio	6 Rthlr.
Sonaten ohne Baß, mit 2 Flûtes traverses, oder Violinen, oder Flûtes a bec, gedruckt in Folio	$^1/_2$ Rthlr.
Lustige Arien aus der Oper, Adelheit, nach Kupfer-Ahrt in Quarto	20 Ggl.
Pimpinone, oder die ungleiche Heirat, bestehend aus einem lustigen Zwischen-Spiele, mit zwo Singe-Stimmen, Canto und Basso, nebst zwo Violinen, einer Viola, und dem General-Basse, nach Kupfer-Ahrt, in Folio	1 Rthlr. 16 Ggl.
Sonate metodiche, auf der Violine oder Flûte traverse, oder auf dem Claviere zu spielen, in Partitur mit dem gezieferten Basse; wobey iedesmal das erste Adagio mit Manieren versehen ist, nach Kupfer-Ahrt, in Folio	$1^1/_2$ Rthlr.
Siebenmal Sieben und ein Menuet, mit und ohne Partitur, um sie auf verschiedenen Instrumenten spielen zu können, in Octavo, jedes Sieben	3 Ggl.
Helden-Music, oder 12 neue musicalische Marches, auf zween Hautbois, oder Violinen etc. gerichtet, deren 6 mit einer Trompete, und 3 mit 2 Waldhörnern, begleitet werden können, alle aber auch auf dem Claviere allein zu spielen sind, auf Kupfer-Ahrt, in Octavo	10 Ggl.
Der getreue Music-Meister, oder kleine und leichte Stücke von allerhand Ahrten, so wohl für Sänger, als Instrumentalisten, insonderheit aber für Lernende eingerichtet, wöchentlich in einer Lection von einem Bogen vorgetragen. Jede Lection	3 Ggl.
Herrn Johann Joseph Fuchsens, Kayserl. Ober-Capellmeisters, Gradus ad Parnassum, oder Anleitung zur Regulmäßigen musicalischen Composition, aus dem Lateinischen ins Teutsche übersetzt von Telemann, in Quarto	2 Rthlr.

Gedruckt; Exemplar im Besitz des Niedersächsischen Staatsarchivs Aurich, Rep. 139, Nr. 293.

Im Holsteinischen Correspondenten vom 13. April 1728 erschien folgende Anzeige: Hiernächst wird gemeldet, daß in Hr. Peter Heussens nahe an der Banco gelegenen Laden alle Telemannischen bisher herausgegebene Musicalien, nebst einem Catalogo, worin solche bestehen, und wieviel sie kosten, zu bekommen sind . . .

Katalog D (1731)

Es sind von der Telemannischen Arbeit folgende zwey neue Werke ans Licht getreten, betitelt:

3 Trietti metodichi e 3 Scherzi a 2 Flauti trav. o Violini, col Fondamento.

Man findet daselbst jedesmahl das Adagio, sowohl in der ersten als zweyten Partie, mit Manieren versehen; es kostet 4 Marck 8 Schillinge. Die sämmtlichen von Herrn Telemann herausgegebenen Werke bestehen aus folgenden:

6 Sonaten mit einer Violine und Baß	3 Marck
6 Trii für verschiedene Instrumente und dem Basse	5 M.
6 Sonatinen mit einer Violine und dem Basse	1 M. 8 Sch.
Kleine Cammer-Music fürs Klavier und andere Instrumente	2 M.
Sonaten ohne Baß für 2 Travers. oder Flût. a bec oder Violinen	1 M.

Sonate metodiche, mit einer Violine oder Flut. trav. oder Clavier, wovon allemahl das erste Adagio mit Manieren begleitet ist	4 M. 8 Sch.
Siebenmahl sieben und ein Menuett fürs Clavier und andere Instrumente	2 M. 10 Sch.
zweites Siebenmahl Sieben und ein Menuett	2 M. 10 Sch.
Der Musik Meister für Sänger und Instrumentalisten. 25. Lection	9 M. 10 Sch.
Helden Music oder 12 Marches	1 M. 4 Sch.
Eine Ouverture und Suite	1 M.
Neue Sonatinen fürs Clavier, Violine, Flûte trav. und Flûte à bec	4 M. 8 Sch.
Harmon. Gottesdienst	
Cantate aufs Jubelfest 1730	
Allgemeines Choralbuch	
6 Quadri mit einer Violine, Flûte trav. Viola di Gamba oder Violoncello und Fondamento	8 M.
Lustige Arien aus der Opera Adelheit	2 M. 8 Sch.
Pimpinone oder die ungleiche Hochzeit	5 M.
6 weltliche Cantaten	9 M.
20 Fugen, welche sich aufs Choral-Buch beziehen, und sowohl auf dem Claviere als der Orgel zu spielen sind	2 M.

Man erinnert noch, daß die oben gesetzten Preise nach Hamburger Werth zu rechnen sind.

Anzeige im Holsteinischen Correspondenten vom 30. November 1731.

Katalog E (1732)

In Joh. Friedr. Gleditschens sel. Sohns Buchhandlung sind nachstehende Telemannische Musicalia zu haben:

Sechs Sonaten, mit einer Violine und dem General-Basse, gr. 4
Sechs Trii, für verschiedene Instrumente, gr. 4
Sechs Sonatinen, mit einer Violine und General-Basse, 8 obl.
Kleine Kammer-Music, Partien für Hautb. oder Violine oder Trav., oder fürs Clavier, 8 obl.
Sonate metodiche, für die Trav. oder Violine mit Manieren, nebst Basse, gr. 4
Neue Sonatinen, fürs Clavier oder Violine, oder Traversiere, worunter zwey für die Flute à bec nebst Basse, gr. 4
Zwantzig kleine Fugen, so wohl auf der Orgel, als auf dem Clavier, 4 obl.
Sechs weltliche Cantaten mit einer Singe-Stimme, zwey Violinen, wobey Trav. und Flûte à bec vorkommen, Viola und Basse
Jubel Music, zwey Cantaten aufs Lutherische Jubiläum mit einer oder zwey Singe-Stimmen, 2 Violinen, Viola, Violoncello und Basse, fol.
Trietti metodichi und drey Scherzi mit zwey Violinen oder Travers. und Basse, fol.

in: Neue Zeitungen von Gelehrten Sachen, Leipzig, vom 17. März 1732.

Katalog F 1 (1733)

Catalogue des Œuvres en Musique de Mr. Telemann, Maitre de Chapelle & Directeur de la Musique à Hambourg, qui se vendent à Hambourg chez lui. Imprimé à Amsterdam 1733.

ŒUVRES A CHANTER:

Office divin en Musique: Cantates spirituelles, en Allemand, sur les Epîtres de toute l'année, à une voix & un Instrument, avec la Basse chiffrée	10 Fl.
Continuation des Cantates spirituelles, sur les Evangiles, à une voix & deux Instrumens, avec la Basse chiffrée	18 Fl.

Musique du Jubilé Lutherien; 2. Cantates en Allemand, à I. & 2. voix, 2. Violons, Taille, Violoncello & Basse chiffrée	2 Fl. 9 Ggl.
6. Cantates galantes, en Allemand, à I. voix, 2. Violons, Flute travers. & à bec, Taille & Basse chiffrée	5 Fl.
Pimpinone: Intermede comique, en Allemand, entre melé des Airs Italiens, à deux voix, deux Violons, Taille & Basse chiffrée	2 Fl. 13 Ggl.
Airs comiques de l'Opera Adelheid, en Allemand; nouvelle edition en partition	1 Fl. 11 Ggl.

ŒUVRES POUR DES INSTRUMENS:

Livre de chansons spirituelles, accompagné d'une instruction pour apprendre la composition & pour joüer la Basse chiffrée	4 ½ Fl.
6. Sonates, à Violon seul & Basse chiffrée	1 Fl. 11 Ggl.
6. Trios, à divers Instrumens	2 Fl. 13 Ggl.
6. Sonatines, à Violon seul & B. ch.	14 Ggl.
Petite Musique de Chambre, suites à un Hautbois, ou Violon, ou Travers. ou Clavessin, Basse chiffrée	1 Fl. 2 Ggl.
Sonates sans Basse, à 2. Travers. ou Violons, ou Flûtes à bec	14 Ggl.
Sonates methodiques, à Violon seul ou Traversiere & B. Chiff.	2 Fl. 9 Ggl.
Continuation des Sonat. method.	3 Fl. 6 Ggl.
Sept fois sept & un Menuet, pour le Clavessin & d'autres Instrumens	1 Fl. 8 Ggl.
Second tome des Menuets	1 ½ Fl.
Musique heroïque, 12. Marches pour divers Instrumens, & pour le Clavessin seul	12 Ggl.
Ouverture, avec la suite, à 2. Violons ou Hautbois, Taille & B. ch.	9 Ggl.
6. Quatuors, à Violon, Traversiere; Basse de Viole ou Violoncelle & Basse chiffrée	4 ½ Fl.
Nouvelles sonatines, à Clavessin, ou Violon, ou Traversiere, dont 2. sont accommodées pour la Flûte à bec	2 Fl. 9 Ggl.
20 Fuguettes pour l'Orgue ou pour le Clavessin	1 Fl. 2 Ggl.
3. Trietti metodichi & 3. Scherzi, à 2. Violons ou Travers. & B. ch.	2 Fl. 9 Ggl.
12. Fantaisies à Travers. sans Basse	1 Fl. 2 Ggl.
3. Douzaines des Fantaisies pour le Clavessin, chaque douzaine à	1 Fl. 2 Ggl.
Musique de table, contenant 3. Ouvertures, 3. Concerts, 3. Conclusions, 3. Quatuors, 3. Trios & 3 solos, dont les neuf premières pièces sont accompagnés de 7. Instrumens, qui se changent par tout l'ouvrage	20 Fl.
6. Quatuors ou Trios à 2 Travers. ou Violons, & à 2 Vioncelles, dont l'un peut être entiérement retranché, ou servir de Basse fondementale	3 Fl. 6 Ggl.

ŒUVRES A CHANTER ET A JOUER:

Le fidele maître en Musique: pièces à chanter & à joüer, contenant quantité de diverses sortes de Musique	5 Fl. 6 Ggl.
Exercitations vocales ou Instrumentales ou de Basse chiffrée: Chansons Allemands auxquels on a ajouté en de notes les accords, que les chiffres exigent, jointes d'avec quelques remarques; feuille volante, commencée le 12. de Nov. 1733. la 12.	14 Ggl.

EDENDA:

12. Solos à Traversière ou Violon, & B. chiffr.

6. Concerts, & 6 suites à Clavessin concertant, Flûte traversiere, & Violoncello. Afin que faute d'un Joüeur du Clavessin assés habile, cette Musique soit néanmoins praticable, l'on transformera le Clavessin en un Violon, qui sera separement imprimé & l'on ajoutera des chiffres au Violoncello. Cet ouvrage sera publié par souscription à 5. Ecus.

Sonates Corellisantes, à 2 Violons & B. chiffr.

6. Petites & vives Sinfonies d'Introduction, avec la suite, à Violon, Violle & Basse chiffr.

6. Ouvertures avec la suite comique, à 2 Violons, Violle & B. chiffr.

6. Sonates comiques à 2 Violons, Violle & B. chiffr.
Duos, à Travers. & Violoncello.
Galanteries pour le Luth.
Elite des Airs de diverses Opera de Telemann, ajustés pour être joüés des Instrumens.
Second volume de Quatuors, à Violon, Traversiere Basse de Viole, & Basse chiffrée.
6. Cantates morales, à I. voix avec la Basse chiffr.
6. Cantates morales, à I. voix, Violon ou Travers. & Basse chiffr.
12. Fantaisies à Violon sans Basse.
12. Fantaisies à Basse de Viole sans Basse.
Traité du Recitatif.

Katalog F 2 (1734)

Verzeichniß der Telemannischen Musicalischen Werke. Gedruckt zu Hamburg, 1734.
(Nachdruck des Katalogs F 1 in deutscher Übersetzung. Von den drei Hauptteilen des Katalogs werden im folgenden nur diejenigen Titel aufgeführt, bei denen die Übersetzung in Nuancen abweicht von der Fassung F 1. Der Teil EDENDA wird vollständig wiedergegeben.)

Singe-Werke:

(6 Cantates galantes:)
Weltliche Cantaten mit 1 Stimme, 2 Violinen, Traverse und Flûte à bec, Viola und Gener. B. — 5 Gulden

Instrumental-Werke:

(Livre de chansons spirituelles:)
Choral-Buch, nebst einem Unterrichte von der Composition und vom General-Basse — 4 Gulden 8 Ggr.
(Sept fois sept & un Menuet:)
Sieben mal Sieben und ein Menuet, fürs Clavier oder andere Instrumente — 1 Gulden 8 Ggr.
(Musique heroique:)
Helden-Music: 12 Marches für verschiedene Instrumente, wie auch insonderheit fürs Clavier — 12 Ggr.
(20 Fuguettes:)
20 Kleine Fugen, für die Orgel und fürs Clavier — 1 Gulden 2 Ggr.
(Musique de table, contenant . . . 3 Conclusions . . .:)
Tafel-Music, enthaltend . . . 3 Schluß-Symphonien . . .

Singe- und Spiel-Werke:

(Exercitations vocales:)
Singe-, Spiel- und Clavier-Uebungen: kurze Arien, bey welchen die Griffe, so die Ziefern erfordern, mit Noten ausgedruckt sind, nebst einigen Anmerkungen zum General-Basse gehörig. Wöchentliches Blat, angefangen den 12. Nov. 1733. Hiervon ist das erste Dutzend fertig, welches 1 Gulden 2 Ggr. kostet. Auf die künftigen Dutzend können jedes mal 14 Ggr. pränumeriret werden.

Werke, so nach und nach heraus gegeben werden können:

12 Soli für die Travers. oder Violine, nebst dem Gener. B. — 5 Gulden
6 Concerts und 6 Suiten, mit einem concertirenden Claviere, Travers. und Violoncell. Damit aber, in Ermangelung eines hinlänglichen Claviristen diese Music dennoch zu gebrauchen sey, so wird man das Clavier in eine ins besondere abgedruckte Violine verwandeln, und den Violoncello beziefern. Diß Werk wird durch Praenumeration heraus kommen, von 8 Gulden 7 Ggr. und wird solche bereits angenommen.
Corellische Nachahmungen, mit 2 Violinen und Gener. Baß.

Melodische Früh-Stunden beym Pirmonter Wasser, oder: Kleine und lebhafte Introductionen, nebst der Suite, mit einer Violine, Viola und Gener. B. Erste, Zweyte und Dritte Cur-Woche, jede Woche
6 Scherzende Ouverturen, mit 2 Violinen, Viola und Gener. B.
6 Dergleichen Sonaten, mit 2 Violinen, Viola und Gener. B.
Lustiger Mischmasch, für die Violine, oder Travers. nebst Gener. B.
Duetti, mit einer Travers. und Violoncello.
Lauten-Galanterien
Auserlesene Arien aus den Telemannischen Opern und Serenaten, also eingerichtet, daß sie auf Instrumenten gespielet werden können.
Zweyter Theil von Quadri, mit einer Violine, Travers. Viola di Gamba und General-Baß
6 Moralische Cantaten, mit einer Stimme und Gener. B.
6 Dergleichen mit einer Stimme, einer Travers. oder Violine und Gener. B.
12 Fantasien mit 1 Violine ohne Baß.
12 Dergleichen, mit 1 Viola di Gamba ohne Baß.

Katalog G (1735)

Gleich wie der unermüdete Herr Capellmeister Telemann bisher dem Publico eine ziemliche Anzahl seiner Werke durch den Druk mitgetheilet hat, also lässet er noch nicht nach, ferner damit fortzufahren. Wie er denn den Anfang gemacht hat, wöchentlich, alle Donnerstage, ein Choral-Lied für Orgel oder Clavier, auf einem einzelnen Blate, herauszugeben. Jedes Blat kostet 2 Sch., das völlige Dutzend aber einen halben Reichsthaler.

Sonst sind binnen Jahreszeit folgende Werke von ihm ans Licht getreten:

1. Singe-, Spiel- und General-Bas-Uebungen, oder kurze Arien, bei welchen die Griffe, so die Ziefern erfordern, mit Noten ausgedruckt sind, nebst einigen Anmerkungen zum General-Basse, à 4 Gulden 8 Ggr.
2. Melodische Früh-Stunden beim Pyrmonter Wasser, oder: kurze und lebhafte Introductionen, nebst der Suite, mit einer Violine, Viola und General-Bass. Erste Cur-Woche: a 1 Fl. 9 Ggr.
3. 6 Concerts und 6 Suiten, mit einem concertirenden Clavier, Traverse und Violoncell. Damit aber, in Ermangelung eines hinlänglichen Claviristen, diese Music dennoch zu gebrauchen sey, so ist das Clavier in eine insbesondere abgedruckte Violine verwandelt, und der Violoncell beziefert. Dieses Werk kostet 13 Fl. 8 Ggr.
4. Lustiger Misch-Masch, fürs Clavier und allerhand Instrumente, bestehend aus kurzen, mehrentheils Schottischen Stücken, nebst angehangenen Clausuln, so zur Erfindung beiträglich, 12 Blätter à 1 Gulden.

Anzeige in: Hamburgische Berichte von neuen Gelehrten Sachen auf das Jahr 1735, S. 33, vom 17. Januar 1735.

Katalog H (1735)

Der Telemannische Verlag wird 12 Fantasien für die Viola di Gamba oder Baß, und 6 deutsche moralische Cantaten ohne Instrumente, dergestalt ans Licht stellen, daß an einem Donnerstag 2 Fantasien, und am andern eine Cantata, wechsels-Weise zum Vorschein kommen. Von jenen gilt einzeln jedes Stück 2 ß und von diesen 8 ß.

Man kann aber auch aufs Dutzend der ersten 14 ggr. und auf die 6 andern 1 Gulden 11 ggr. voraus bezahlen, wovon jene, wann sie völlig heraus sind 1 Gulden 2 ggr. und diese 2 Gulden 4 ggr. kosten. Der

Anfang damit wird den 4. August gemacht. Sie werden in des Verfassers Wohnung, und in der Music-Bude an der Börse, ausgegeben.

Seine neueren Werke sind folgende:

1. 6 Concerte und 6 Partiten für Clavier und Traverse, zu welchen noch Violine und Violoncell gefüget sind	13 Guld. 8 ggr.
2. 24 Choräle für die Orgel oder Clavier, deren ersten zwölfe fugiren, die übrigen aber zugleich contrapunctiren und fugiren	2 Guld. 4 ggr.
3. 12 Fantasien für die Violine ohne Baß, wovon 6 mit Fugen versehen, 6 aber Galanterien sind	1 Guld. 12 ggr.
4. Lustiger Mischmasch: Sammlung der ausschweifensten Schottischen, und einiger Telemannischen Stücke	1 Guld. 2 ggr.
5. 6 Corellisirende Sonaten mit 2 Violinen oder Traversen, Violoncell und Fundament	2 Guld. 9 ggr.

Katalog I (1735)

Nachricht von Telemannischen Musicalien, so selbiger künftig heraus zu geben entschlossen:

1. Zweyther Theil moralischer Cantaten, deren erster aus einer Singe-Stimme mit dem Fundament bestehet, dieser aber annoch mit einer Violine oder Traverse begleitet wird. Jener kostet 1 Rthlr. 8 Ggr. und der letzte 1 Rthlr. 16 Ggr.; Hiervon wird alle 14 Tage, Donnerstags, ein Stück heraus kommen. Wer solches einzeln nimmt, der bezahlet 10 ß., auch kan man 2 Gulden 4 Ggr. auf alle 6 pränumeriren.
2. Zwölf Canones von 3 oder 4 Stimmen, mit unterlegten kurzen biblischen Sprüchen; zum Gebrauch derer, so die Jugend zur Singe-Kunst anweisen, und selbige in Festhaltung der Töne gewiß machen wollen. Diese werden um Martini für 1 Gulden zu bekommen seyn.
3. Ein theoretisch-practischer Tractat vom Componiren, worin das wichtigste aus der Herren Fuchs und Heinichen großen Werken zusammen getragen, das übrige aber aus des Verfassers eigenen Gründen und Entdeckungen hinzugefüget, jedoch alles in möglicher Kürze und Deutlichkeit abgefasset werden wird. Mit diesem Buche vermeinet er in Jahres-Frist zu Ende zu kommen.
4. Sechs Ouvertüren, nebst den dazu gehörigen umfänglichen Suiten, mit 4 Partien, nemlich 2 Violinen, Bratsche und Fundament; Alles auf stark Papier, mittelst reiner und leserlicher Kupfer-Noten, abgedruckt. Es werden 2 1/2 Rthlr. darauf pränumeriret, am Ende aber deren 3 dafür bezahlet. Derselben Ausgabe geschicht im Merz 1736.

Die etwan hierauf pränumeriren mögten, belieben ihren Namen hier unter zu zeichnen.
Hamburg, den 26. September.

Hamburger Einzeldruck.

Katalog K 1 (1736)

Neuere Telemannische Werke:

6 Concerts und 6 Suiten für Clavier und Traverse, zu welchen noch Violine und Violoncell gefüget sind	10 Gulden
Melodische Frühstunden beym Pirmonter Wasser mit 1 Violine, Viola u. Fundam.	2 Guld. 9 ggr.
12 Fantasien für die Violine, ohne Baß, wovon 6 fugiren	1–4 ggr.
12 dergleichen für die Gambe	1–4.
Lustiger Mischmasch: Sammlung der ausschweifensten Schottischen Stücke	1–2.
6 Corellisirende Sonaten, mit 2 Viol. oder Trav. Violoncell u. Fundam.	2–9.
6 Moralische Cantaten, Teutsch, mit einer Stimme, u. Fundament.	2–4.

12 Geistliche Canones mit 3 und 4 Stimmen –8.
6 Duette für Traver. und Violoncell 1–4.
Auf Ostern werden 6 Ouvertüren mit ihren Suiten, heraus kommen, deren drey mit Waldhörnern begleitet sind. Es werden 2 Rthlr. drauf pränumeriret.

Anlage zum Brief Telemanns an Johann Richey, Wien, vom 4. Januar 1736.
Brief und Kopie der Anlage in: Georg Philipp Telemann, Briefwechsel, hrsg. v. Hans Grosse und Hans Rudolf Jung, Leipzig 1972, VEB Deutscher Verlag für Musik, S. 186f.

Katalog K 2 (1736)

Von Telemannischer Music sind folgende neue Werke in nicht gar langer Zeit ans Licht getreten, und bey deren Verfasser zu bekommen:
(im wesentlichen übereinstimmend mit Katalog K 1; Abweichungen:)
es fehlt:
Lustiger Mischmasch
es erscheint zusätzlich (vor 12 Fantasien für die Violine):
Vier und zwanzig fugirte und contrapunctirte Choräle 2 Fl. 4 ggr.
die Vorankündigung lautet:
Gegen Himmelfahrt kommen 6 Ouvertüren mit ihren umfänglichen Suiten heraus; sie bestehen aus 2 Violinen oder Hoboen, Bratsche und Fundament, zu deren dreyen aber sind annoch 2 Waldhörner nach Belieben zugefüget, und werden 2 1/2 Rthlr. darauf pränumeriret.

Anzeige in: Staats- und Gelehrte Zeitung des Hamburgischen unpartheyischen Correspondenten vom 21. Januar 1736.

Katalog L (1736)

Der Herr Capellmeister Telemann arbeitet gegenwärtig an 6 Ouverturen, mit ihren umfänglichen Switen. Drei davon bestehen aus 2 Violinen oder Hoboen, Bratsche und Fundament. In den drei übrigen aber kommen annoch 2 Waldhörner, die jedoch auch wegbleiben können. Die Ausfertigung davon geschiehet gegen Himmelfahrt dieses 1736. Jahrs, und wird die Erfahrung zeugen, daß sie, sowol wegen Reinigkeit der Noten, als Güte des Papiers, alle vorhergegangene Werke weit übertreffen. Ungeachtet nun deßen Umfang sich bis 100 Platen erstrecket, so werden doch nicht mehr, denn 2 1/2 Rthlr. voraus gezahlt verlanget, die der Herr Verfaßer gegen Quitung empfängt, welcher diese Musik den Liebhabern, als eine Schreibart, worin seine Feder sich besonders geübet hat, zu bester Gewohnheit empfiehlet, und die Unterschriften in ansehnlicher Zahl so wünschet, als erwartet. Wir fügen hier indessen ein Verzeichnis von denienigen Werken bei, welche dieser vortrefliche Componist künftig zu liefern, sich vorgesetzet hat.
(es folgen die 4 Titel des Katalogs I mit denselben Erklärungen; der theoretisch-praktische Traktat wird auch hier binnen Jahres-Frist angekündigt.)
Was erst neulich ans Licht getreten, und bey dem Herrn V. zu bekommen, ist folgendes.

1. 6 Concerte und soviel Switen für Clavier und Traverse 10 Gul.
2. Melodische Frühstunden mit 1 Violin, 1 Bratsche und Fundament 2 Gul. 9 Gr.
3. 24 fugirte und contrapunctirte Choräl. 2 fl. 4
4. 12 Fantasien für die Violin, ohne Baß 1 fl. 4
5. dergleichen für die Gambe
6. 6 corellisirende Sonaten mit 2 Violinen oder Traverse und Fundament 2 fl. 9
7. 6 teutsche moralische Cant. mit einer Singstimme und Fundament 2 fl. 2
8. 12 geistliche Canones, mit 2, 3 und 4 Stimmen 8 Gr.
9. Duette für Traverse, und Violonen mit Ziefern 1 fl. 4

in: Hamburgische Berichte von neuen Gelehrten Sachen, auf das Jahr 1736, S. 161, vom 6. März 1736.

Katalog M (1739)

Von gedruckten Wercken sind folgende ans Licht getreten:

Harmonischer Gottesdienst, ein Jahrgang, mit 1 Stimme 1 Instr. und GB.;	(5)
dessen Fortsetzung mit 1 St. 2 Instr. und GB.;	(23)
Auszüge der Arien aus einem Jahrgange, im kisnerschen Verlage;	(7)
evangelische Jubelmusik, 2 Cantaten;	(19)
6 weltliche Cantaten;	(20)
lustige Arien aus der Oper Adelheid;	(8)
Pimpinon, ein Zwischenspiel;	(9)
6 moralische Cantaten, mit 1 St. und GB.;	(38)
6 dergleichen mit 1 St., 1 Instr. und GB.;	(42)
12 geistliche Canons, mit 2, 3, und 4 St.;	(39)
Ein Choralbuch;	(14)
Sonaten ohne Baß, für 2 Flöten oder Viol.;	(6)
methodische Sonaten mit Manieren für Viol. oder Travers. und GB.;	(10)
deren Fortsetzung;	(24)
erstes Siebenmahl Sieben und ein Menuet;	(11)
zweites dergleichen;	(15)
Heldenmusik;	(12)
Ouvertür und Suite;	(16)
6 Quadri, für Travers. Viol. Gambe, oder Violoncel, und GB.;	(17)
neue Sonatinen fürs Clavier;	(18)
3 methodische Trii und 3 schertzende Sonaten, für 2 Viol. oder Trav. und GB.;	(22)
26 (sic; recte: 36) Clavierfantaisien;	(26)
12 dergleichen für die Trav. ohne Baß;	(25)
13 (sic; recte: 12) für die Gambe;	(37)
Tafelmusik mit vielerley Instrumenten;	(27)
6 Quadri oder Trii, mit 2 Viol. oder Trav. und 2 Vc.;	(28)
12 Soli, für Trav. oder Viol. und GB.;	(30)
6 Concerte und Suiten fürs Clavier und Trav.;	(31)
corellisirende Sonaten, mit 2 Viol. oder Travers. und GB.;	(36)
Melodische Schertze mit Viol. Bratsche und Gb.;	(32)
6 Trii für 2 Traversen und GB. in Paris, nach einem ergriffenen Ms. gestochen, woselbst auch in einem Jahre, nehmlich 1730 (sic; recte: 1736–37), sieben (sic; recte: fünf) von meinen hiesigen Wercken nachgedruckt worden;	(57)
24 fugirende Choräle für Orgel und Clavier;	(34)
lustiger Mischmasch oder Scotländische Stücke, fürs Clav. und andere Instrum.;	(33)
6 Ouverturen mit 2 Viol. Bratsche, 2 Waldhörnern und GB.;	(41)
Musicmeister, allerhand Musikarten zum Singen und Spielen enthaltend;	(13)
Singe- Spiel- und Generalbaß-Uebungen: Arien, Exempel und Regeln zum Generalbaß;	(29)
6 neue Quatuors, mit Instr., wie die vorigen, in Paris gedruckt;	(43)
6 Sonaten, in 18 melodischen Canons, für 2 Trav. oder Viol. ohne Baß, daselbst gedruckt;	(44)
Galanterie-Fugen und kleine Stücke fürs Clavier;	(45)
6 Symphonien, mit 2 Viol. einem Waldhorn und GB.;	(46)
Beschreibung einer Augen-Orgel, aus dem Frantzösischen.	

Autobiographie 1739, in: Johann Mattheson, Grundlage einer Ehren-Pforte, Hamburg, 1740, Neudruck hrsg. v. Max Schneider, Kassel 1969, S. 368f.
Die Übersicht berücksichtigt nur die nach 1721 veröffentlichten Werke.
Die eingeklammerten Zahlen beziehen sich auf das folgende Verzeichnis der Telemann-Drucke.

b) Die Publikationen 1715–1740 (Selbstverlag)

			vermerkt in Katalog														im vorliegenden Band
			A	B	C	D	E	F1	F2	G	H	I	K1	K2	L	M	
1	1715	Six Sonates à Violon seul	x	x	x	x	x	x	x								41:D 1
2	1716	Kleine Cammer-Music	x	x	x	x	x	x	x								41:c 1
3	1718	Six Trio	x	x	x	x	x	x	x								
4	1718	Sei Suonatine	x	x	x	x	x	x	x								41:D 2
5	1725–26	Harmonischer Gottes-Dienst		x	x	x		x	x							x	
6	1726	Sonates sans basse		x	x	x		x	x							x	40:101–106
7	1726–27	Auszug derjenigen . . . Arien														x	
8	1727/28	Lustige Arien aus . . . Adelheid			x	x		x	x							x	
9	1728	Pimpinone			x	x		x	x							x	
10	1728	Sonate metodiche			x	x	x	x	x							x	41:D 3
11	1728	Sept fois sept et un Menuet			x	x		x	x							x	34:1–50
12	1728	Musique héroique			x	x		x	x							x	
13	1728–29	Der getreue Music-Meister			x	x		x	x							x	s. u. S. 242
14	1730	Fast allgemeines . . . Lieder-Buch				x		x	x							x	
15	1730	Zweytes Sieben mal Sieben				x		x	x							x	34:51–100
16	1730	Ouvertüre und Suite				x		x	x							x	
17	1730	Quadri				x		x	x							x	
18	1730/31	Neue Sonatinen				x	x	x	x							x	41:c 2
19	1731	Zwo geistliche Cantaten				x	x	x	x							x	
20	1731	Sechs Cantaten				x	x	x	x							x	
21	1731	XX Kleine Fugen				x	x	x	x								30:1–20
22	1731	III Trietti methodici				x	x	x	x							x	
23	1731–32	Fortsetzung des Harm. Gottes-Dienstes						x	x							x	
24	1732	Continuation des Sonates methodiques						x	x							x	41:C 3
25	1732/33	12 Fantaisies à Travers. sans Basse						x	x							x	40:2–13
26	1732–33	Fantaisies pour le clavessin						x	x							x	33:1–36
27	1733	Musique de table						x	x							x	41:g 6
28	1733	Six Quatuors ou Trios						x	x							x	
29	1733–34	Singe-, Spiel- und Gb.-Übungen						x	x	x						x	
30	1734	XII Solos						(x)	x							x	41:C 4
31	1734	Six Concerts et six Suites						(x)	(x)	x	x		x	x	x	x	
32	1734	Scherzi melodichi						(x)	(x)	x			x	x	x	x	
33	1734/35	Lustiger Mischmasch							(x)	x	x		x			x	37:
34	1735	Fugirende und verändernde Choräle								(x)	x			x	x	x	31:1–48
35	1735	Fantasie per il Violino						(x)	(x)		x		x	x	x		40:14–25
36	1735	Sonates Corellisantes						(x)	(x)		x		x	x	x	x	
37	1735/36	12 Fantasies à Basse de Viole						(x)	(x)		(x)		x	x	x	x	40:26–37
38	1735/36	VI moralische Cantaten						(x)	(x)		(x)		x	x	x	x	
39	1735/36	Canones à 2, 3, 4										(x)	x	x	x	x	
40	1735/36	Duos à Travers. et Violoncello						(x)	(x)				x	x	x		40:112–117
41	1736	Six Ouvertures						(x)	(x)			(x)	(x)	(x)	(x)	x	
42	1736/37	6 moralische Kantaten						(x)	(x)			(x)				x	
43	1738	Nouveaux Quatuors						(x)	(x)							x	
44	1738	XIIX Canons Mélodieux														x	40:118–123
45	1738/39	Fugues légères														x	30:21–26
46	1738/39	6 Symphonies														x	
47	1739/40	Essercizii musici															32:3

1725–26 = 1725 und 1726 (in Einzellieferungen); 1727/28 = 1727 oder 1728; 1727/29 = zwischen 1727 und 1729.
Eingeklammertes (x) = Vorankündigung.
Nr. 1–4 sind in Frankfurt am Main erschienen. Nr. 43 und 44 hat Telemann mit eigenem Druckprivileg in Paris herausgebracht. Alle übrigen Drucke erschienen in Hamburg.
Mit Ausnahme der Nr. 7, die in Hamburg bei Kißner herauskam (und deshalb auch nicht in die Verlagskataloge C–L aufgenommen wurde), hat Telemann all diese Publikationen selbst verlegt (vgl. dazu M. Ruhnke, Telemann als Musikverleger, in: Musik und Verlag, Karl Vötterle zum 65. Geburtstag, hrsg. v. Richard Baum und Wolfgang Rehm, Kassel 1968, S. 502–517). Neuauflagen brachte er von Nr. 1 (s. d.), Nr. 2 1728 und Nr. 8 1733 heraus.
1740 beschloß er, seiner Tätigkeit als Verleger ein Ende zu setzen. Am 17. Oktober veröffentlichte er im Hamburgischen Correspondenten folgende Anzeige: „Der hiesige Musicdirector Telemann will die Platten seiner Notenwerke, deren 44 sind, verkaufen. Derselben Preiß wird nach dem Catalogo also eingerichtet, daß wenn z. E. ein Exemplar 3 Gulden kostet, der Käufer 100 Gulden für die Platten bezahlet, da er also sein Interesse zu 6 pro Cent gewinnet, wenn jährlich nur 2 Exemplarien abgehen. Die sämmtlichen Werke müssen entweder beysammen bleiben, oder können höchstens nur in zwo Classen getheilet werden." In dem nach 1739 von Balthasar Schmid in Nürnberg veröffentlichten Lebenslauf Telemanns (Staats- und Universitätsbibliothek Hamburg, Scrin. 199c Nr. 103) heißt es nach der Würdigung seiner Druckpublikationen:
„Unser hochverdienter Herr Telemann hat hiemit ein mehrers geliefert, als zu seinem unsterblichen Ehren-Gedächtnis nöthig zu seyn scheinet. Er ist daher nicht zu verdenken, wenn er nunmehr einer Arbeit in dergleichen Gattungen ein endliches Ziel zu sezen beschlossen hat." Von seinen 46 Verlagsproduktionen waren Nr. 2, 5 und 6 gedruckt, die übrigen 43 und die Neuauflage von Nr. 2 gestochen. Die Stichplatten dieser 44 Publikationen wollte Telemann verkaufen. Nach 1740 hat er keine Werke mehr selbst verlegt.

2. Publikationen in deutschen Verlagen nach 1740

48 Vier und zwanzig theils ernsthafte, theils scherzende Oden, Hamburg, Christian Herold, 1741
49 Musicalisches Lob Gottes (Kantaten-Jahrgang), Nürnberg, Balthasar Schmid, (1744)
50 Music vom Leiden und Sterben des Welterlösers (Johannespassion 1745), Nürnberg, Balthasar Schmid, (1745/49)
51 VI Ouverturen nebst zween Folgesätzen, Nürnberg, Balthasar Schmid, (vor 1750) 32:5
52 (Kantatenjahrgang in Einzeldrucken), Hermsdorff, Chr. Heinrich Lau, (1748)
53 De danske, norske og tydske undersaatters glaede, Hamburg, Schönemann, 1757
54 Musicalisch-Choreographisches Hochzeit-Divertissement, s. l., s. m., s. d.
55 Symphonie zur Serenate auf die erste 100jährige Jubelfeier, Hamburg, Bock, 1765

3. Publikationen in ausländischen Verlagen

56 Solos for a violin with a thorough bass, opera seconda, London, Walsh & Hare, (um 1725) 41:d 5
57 Six Sonates en trio dans le goût italien, Paris, Boivin, (1731/33)
= der in der Autobiographie 1739 erwähnte Raubdruck (s. Katalog M)
58 Sonates en trio, Paris, Vater, (1738/42)
59 Second livre de Duo, Paris, Blavet, (1752) 40:124–129
60 Quatrième livre de Quatuors, Paris, Le Clerc, (nach 1752)

4. Nachdrucke von Publikationen Telemanns durch ausländische Verleger

Solos for a Violin, opera prima, London, Walsh & Hare, (1722); Nachdruck zusammen mit Nr. 56 (s. o. unter 3.) in: XII Solos for a Violin with a Thorough Bass for the Harpsicord or Bass Violin, Opera prima, London, Walsh & Hare, Ed. 417, (um 1735)	nach Nr. 1
Sei Sonatine per Violino e Cembalo, Amsterdam, Le Cène, Nr. 516, (1724/25)	nach Nr. 4
VI Sonatine per Violino e Cembalo, Paris, Le Clerc, 1737	nach Nr. 4
Sonate a due flaute traversiere o due violini senza basso, Amsterdam, Le Cène, Nr. 558, (um 1730)	nach Nr. 6
Six Sonatas or Duets, opera seconda, London, Walsh, (1746)	nach Nr. 6
Sonates pour deux Flûtes traversières, gravées par De Gland, Paris, Le Clerc, (1736/37)	nach Nr. 6
Sonates pour deux Flûtes traversières, gravées par J. L. Renou, Paris, Le Clerc, (nach 1736)	nach Nr. 6
Six Quatuors, Paris, Le Clerc, (1736/37)	nach Nr. 17
Les Trietti, Paris, Le Clerc, (1736/37)	nach Nr. 22
Six Quatuors ou Trios, Paris, Le Clerc, (1746–48)	nach Nr. 28
VI Sonates en trio, les Corelizantes, Paris, Le Clerc, 1737	nach Nr. 36
Six Canons or Sonatas, opera quinta, London, Simpson, (1746)	nach Nr. 44

Von drei weiteren Telemann-Publikationen des Pariser Verlegers Charles Nicolas Le Clerc haben sich keine Exemplare erhalten:

Sonates à Violon seul e Basse, 13e Œuvre, (1743/45)	vermutlich nach Nr. 10
Pièces de Clavecin (auch bezeichnet als 24 Fantaisies), (1743/45)	vermutlich nach Nr. 26
Sonates en trio, 16e Œuvre, (nach 1752)	Vorlage unbekannt

5. Titel, Fundorte, Vorwort und Inhalt der Musikalien-Zeitschrift Der getreue Music-Meister

Der getreue Music-Meister, welcher so wol für Sänger als Instrumentalisten allerhand Gattungen musicalischer Stücke, so auf verschiedene Stimmen und fast alle gebräuchliche Instrumente gerichtet sind, und moralische, Opern- und andere Arien, dessgleichen Trii, Duetti, Soli etc. Sonaten, Ouverturen, etc. wie auch Fugen, Contrapuncte, Canones, etc. enthalten, mithin das mehreste, was nur in der Music vorkommen mag, nach Italiänischer, Französischer, Englischer, Polnischer, etc. so ernsthaft- als lebhaft- und lustigen Ahrt, nach und nach alle 14 Tage in einer Lection vorzutragen gedenket, durch Telemann. Hamburg, (Selbstverlag), Ao. 1728.

D-ddr Bds, Mus. 12028 Rara; Dlb, Mus. 2392/B/1; LEm, III. 13.86; **D-brd** Rp; **F** Pn, Vm[7] 3878; **S** Uu, Utl. instr. mus. i tr. 156; **NL** DHgm, 6 B 13; **B** Bc, U 16896; **US** IO, R.

Reprint, hrsg. v. G. Fleischhauer, Leipzig, Zentralantiquariat der DDR, 1981.

Anmerkungen: Im Holsteinischen Correspondenten vom 13.11.1728 wurde das Erscheinen der ersten Lieferung für den 25.11.1728 angekündigt. Am 1.1.1729 wurde die 3. Lektion, am 15.1. die 4. und am 22.2. die 7. Lektion angekündigt. Am 1. November 1729 meldete der Relations-Courier: „Der Music-Meister, welcher mit der 25. Lection seine Endschafft erreichet hat, ist nunmehro vollständig und mit einem Register bey sel. Peter Heussens Wittwe, wie auch bey dem Hn. Telemann zu bekommen".

Vorwort

Geneigte Leser!

Es würde das gegenwärtige Werk, von dessen Inhalte der Titul bereits hinlängliche Nachricht ertheilet, ohne Vor-Rede geblieben seyn, wann ich nicht den Raum dieses leren Blates mit etlichen schwarzen Buchstaben zu schmücken gedächte. Bey solcher Gelegenheit könnte ich meinen Lesern dessen Wehrt schmeichlerisch anpreisen; allein, wie ich mich dadurch einer unordentlichen Selbst-Liebe schuldig machte, also würde ich selbiges vieleicht auch in Verdacht bringen, als ob es dergleichen Aufputzes bedürfte. Demnach sage ich nur, daß es ein musicalisches Journal sey, und, meines Wissens, das erste, so vermittelst wirklicher Music, in Teutschland, zum Vorschein kommt. Haben sonst die so genannten monatliche, oder solche, Schriften, die zu gewissen Zeiten Stück-weise herauskommen, vielfältig ihre Liebhaber gefunden, so solte ich glauben, es werde auch diese nicht gar verworfen werden, da sie, mit jenen, den Zweck hat, zu nutzen und zu belustigen.
Man könnte mir indeß etwan einwerfen, daß es von einer einzelnen Person nicht wenig gewagt sey, dergleichen Werk zu unternehmen, worin so vielerley Sachen vorgetragen werden sollen. Es ist wahr, und habe ich mich desswegen lange bedacht, ehe ein fester Schluß gefasset worden; ich sehe auch im Voraus, daß manche Lection mit etwas Schweiß begleitet seyn dürfte, ob ich mich schon einiger massen darauf verlassen könnte, daß mich die Noten bisher fast so bald gesuchet, als ich mich nach ihnen umgesehen. Aber, weil der Mensch der Arbeit wegen, und um dem Nächsten zu dienen, lebet, so habe ich mich endlich diese Hinderniß nicht anfechten lassen, zumal, da ich darauf gerechnet, ich würde zur muntern Fortsetzung dieser Sätze auch dadurch angefrischet werden, weil ich mich an einem Orte befinde, wo die Music gleichsam ihr Vaterland zu haben scheinet, wo die höchsten und ansehnlichsten Personen die Ton-Kunst ihrer Aufmerksamkeit würdigen, wo verschiedene vornehme Familien Virtuosen und Virtuosinnen unter den ihrigen zehlen, wo so mancher geschickter Lehrling der Music die Hoffnung machet, daß sie hier beständig wohnen werde, und wo endlich der Schau-Platz so viele bündige Gedancken auswärtiger Componisten durch die auserlesensten Stimmen dem Gehöre mittheilet.
Damit aber diese Blätter desto mehr Veränderung haben mögen, so lasse ich mir nicht entgegen seyn, wenn auch andere, zu deren Anfüllung, einigen Beytrag thun wollen, da man denn die Namen der HHrn. Verfasser, wo Sie solche kund machen, hinzufügen wird, sich aber auch zugleich ausbedinget, daß Sie das Einzuschickende Post-frey machen wollen.
Sollte dieser Music-Meister mit einer gütigen Aufnahme beehret, mithin dessen Lectionen fortgesetzet werden, so dürfte ich, wenn es meine Geschäffte zulassen, von Zeit zu Zeit über jedes Stück desselben eine Untersuchung drucken lassen, so sich aber nur auf meine eigenen Stücke beziehen würde, und wodurch ich allerhand Vorteile zeigen könnte, die in der Practic mit Nutzen anzuwenden wären.
Weiter habe ich nichts mehr vorzutragen, als daß ich von den Music-Liebhabern mir eine gewogene Meinung, so wohl über diese, als meine übrige, Arbeit erbitte, der ich verharre

Deroselben

ergebenst- und dienst-schuldigster
Telemann.

Inhalt

(Nr.)	Instrumentalwerke Telemanns Vokalwerke Telemanns Kontrapunktische Aufgaben Werke anderer Komponisten	Lektion	Seite	in diesem Band
(5)	Arie „Nimm dein Herz nur wieder an“ aus Emma und Eginhard	2	6	
(6)	L'hiver d für 1 Melodieinstr. u. Gb.	2	8	41:d 1
(7)	Etliche Contrapunctische Veränderungen (zu 41:A 2)	2	8	
(8)	Suite g für Viol. oder Ob. u. Gb.	3–7	9, 10, 15, 20, 22, 27	41:g 4
(9)	Arie „Es glänzet die Unschuld“ aus Sancio	3–4	10, 14	
(10)	Sonate B für 2 Blockfl. oder G für 2 Querfl. oder A für 2 Gamben ohne Gb.	3–5	12, 13, 18, 19	40:107
(11)	Arie „So oft du deinen Schatz wirst küssen“ aus Sancio	4	14	
(12)	Pastourelle D für 1 Instr. u. Gb.	4	16	41:D 5
(13)	Zelenka, „Vide Domine et considera“, Canon mit 14 Verkehrungen	4	16	
(14)	Capriccio G für Querfl. u. Gb.	5	17	41:G 5
(15)	Arie „Das Frauenzimmer verstimmt sich immer“ (mit Ritornell)	5	18	
(16)	Sonate D für Violoncello u. Gb.	5–7	20, 21, 28	41:D 6
(17)	Arie „Vergiß dich selbst, mein schönster Engel“ aus Emma und Eginhard	6	22	
(18)	Air C für Trompete u. Gb.	6	23	41:C 1
(19)	Marche pour M. le Capitaine Weber und Retraite in F	6	24	35:1
(20)	Einige plötzliche Eintritte in entfernete Accords	6	24	
(21)	Kreysing d. J., Suite D für Clavessin	7–10	25, 31, 39	
(22)	Arie „Süße Worte, werte Zeilen“ aus Sancio	7–8	26, 30	
(23)	Niaise E für 1 Instr. u. Gb.	7	27	41:E 2
(24)	Suite D für 2 Viol. ohne Gb.	8–11	29, 32, 36, 40, 44	40:108
(25)	Thema zur Fuga, nebst 5 eingeschickten Auflösungen und Canon perpetuus	8–10	30, 39	
(26)	Carillon F für 2 Chalumeaux / oder Blockfl. u. Chalumeau / oder Querfl. u. Chalumeau } ohne Gb.	8	32	40:109
(27)	Menuet F für 2 Hörner ohne Gb.	8	32	40:110
(28)	Sonate B für Viola oder Gambe u. Gb. oder A für Querfl. o. a.	9–10	33, 37	41:B 3
(29)	Fontaines, Air „Komm süßer Schlaf“	9	34	
(30)	Haltmeier, Fantasia D für Klavier	9	35	
(31)	Pastorale E für Flöte oder ein anderes Instr. u. Gb.	9	36	41:E 3
(32)	Arie „Più del fiume dà diletto“ aus Aesopus	10–11	38, 42	
(33)	Napolitana B für Oboe d'amore oder ein anderes Instr. u. Gb.	10	40	41:B 3
(34)	Triosonate C für 2 Blockfl. u. Gb. oder A für 2 Querflöten oder 2 Viol. u. Gb.	11–17	41, 47, 52, 56, 60, 64, 68	
(35)	Goerner, Passacaille h	11	42	Anh. 35:2
(36)	Sonate f für Fagott u. Gb.	11–14	44, 48, 51, 53	41:f 1
(37)	S. L. Weiss, Presto G für Laute	12	45	
(38)	Arie „Ergrimmet nicht, ihr holden Augen“ aus Emma und Eginhard	12	46	
(39)	Pisendel, Gigue a für Viol. ohne Gb.	13	49	
(40)	Arie „Glückselig ist, wer alle Morgen verliebt“ aus Die verkehrte Welt und Comische Veränderung der vorigen Aria	13	49, 50	
(41)	E. T. Baron, Suite D für Laute	13–16	50, 55, 60, 63	
(42)	Szene aus Die verkehrte Welt	13–14	51, 55	
(43)	Fabel „Die Kuh – doch halt, nein, nein“ aus Aesopus	14	54	
(44)	La Poste B für Clavessin	14	56	35:2

(Nr.)	Instrumentalwerke Telemanns Vokalwerke Telemanns Kontrapunktische Aufgaben Werke anderer Komponisten	Lektion	Seite	in diesem Band
(45)	Sonate D für Viola da gamba ohne Gb.	15–16	57, 61	40:1
(46)	Chor „Gedoppelt schön sind die Ergetzlichkeiten" aus Calypso	15	58	
(47)	Goerner, Trouble-Fête für Clavessin	15	58	
(48)	Schmidt, Canon 3 v. „Non nobis, Domine"	15	60	
(49)	Arie „Gesundheits-Brunnen, warme Bäder" aus Emma und Eginhard	16–17	62, 66	
(50)	Sonate a für Oboe u. Gb.	17–18	65, 71	41:a 3
(51)	Kreising d. J., Piece C für Clavessin	17	66	
(52)	Störmer, Sonate F für Viol. u. Gb.	17–19	67, 69, 76	
(53)	Bach, Canon 4 v.	17	68	
(54)	Arie „Bum, bum, bum, faranno i timpani" aus Aesopus	18	70	
(55)	Ouverture à la Polonoise d für Clavessin	18–22	72, 75, 79, 83, 88	32:2
(56)	Sonate C für Blockfl. u. Gb.	19–20	73, 80	41:C 2
(57)	Kantate „Ich kann lachen, weinen, scherzen" für Sopran u. Gb.	19–20	74, 78	
(58)	Dirnslot, Canon 4 v.	19	75	
(59)	Sonate B für Blockfl. und Violine oder A für 2 Gamben oder G für Querfl. und Viola pomposa oder Viol. ohne Gb.	20–21	77, 84	40:111
(60)	C. Pezold, Suite B für Clavessin	21–25	81, 86, 91, 94, 98	Anh. 32:3
(61)	Arie „Säume nicht, geliebte Schöne"	21–22	82, 86	
(62)	Themata zu Fugen	21	82	
(63)	Sonate g für 1 Instrument u. Gb.	22–23	85, 92	41:g 5
(64)	Sinfonie à la Françoise h für Querfl. u. Gb.	22–24	88, 89, 96	41:h 2
(65)	Arie à 2 „Ich folge dir bis zur Welt ende" aus Emma und Eginhard	23–24	90, 94	
(66)	Sonate G für Gambe u. Gb.	24–25	93, 97	41:G 6
(67)	(Anonimo), Bizaria und Giga A für Viol. u. Gb.	24–25	95, 100	
(68)	Arie „Daß ich mich dir ergeben sollte" aus Belsazar	25	98	

Instrumentalwerke von Telemann im Getreuen Music-Meister

Klavier:

32:1	(3)	Partia G
32:2	(55)	Ouverture à la Polonoise d
35:1	(19)	Marche pour le Capitaine Weber und Retraite F
35:2	(44)	La Poste B

Kammermusik ohne Generalbaß:

40:1	(45)	Sonate D für Viola da gamba
40:107	(10)	Sonate B für 2 Blockflöten (o. a.)
40:108	(24)	Suite D für 2 Violinen
40:109	(26)	Carillon F für 2 Chalumeaux (o. a.)
40:110	(27)	Menuet F für 2 Hörner
40:111	(59)	Sonate B für Blockfl. und Viol. (o. a.)

Kammermusik für 1 Instrument und Generalbaß:

41:C 1	(18)	Air C für Trompete
41:C 2	(56)	Sonate C für Blockfl.
41:D 4	(4)	Polonoise D für Querfl. oder Viol.

41:D 5	(12)	Pastourelle D für 1 Instr.
41:D 6	(16)	Sonate D für Violoncello
41:d 1	(6)	L'hiver d für 1 Instr.
41:E 2	(23)	Niaise E für 1 Instr.
41:E 3	(31)	Pastorale E für Flöte (o. a.)
41:F 2	(1)	Sonate F für Blockfl.
41:f 1	(36)	Sonate f für Fagott
41:G 5	(14)	Capriccio G für Querfl.
41:G 6	(66)	Sonate G für Gambe
41:g 4	(8)	Suite g für Viol. oder Oboe
41:g 5	(63)	Sonate g für 1 Instr.
41:a 3	(50)	Sonate a für Oboe
41:B 3	(28)	Sonate B für Viola oder Gambe (o. a.)
41:B 4	(33)	Napolitana B für Oboe d'amore (o. a.)
41:h 2	(64)	Sinfonie à la Françoise h für Querfl.

Kammermusik für 2 Instrumente und Generalbaß:

42:C 1	(34)	Triosonate C für 2 Blockfl. (o. a.)